Pour mieux comprendre les religions

À Lou-Salomé et à Lancelot,
la lune et le soleil de mon univers.

Éditorial :
Isabelle Péhourticq

Direction artistique :
Guillaume Berga

Maquette :
Amandine Chambosse

PATRICK BANON

Pour mieux comprendre les religions

Illustrations de
OLIVIER MARBŒUF

ACTES SUD JUNIOR

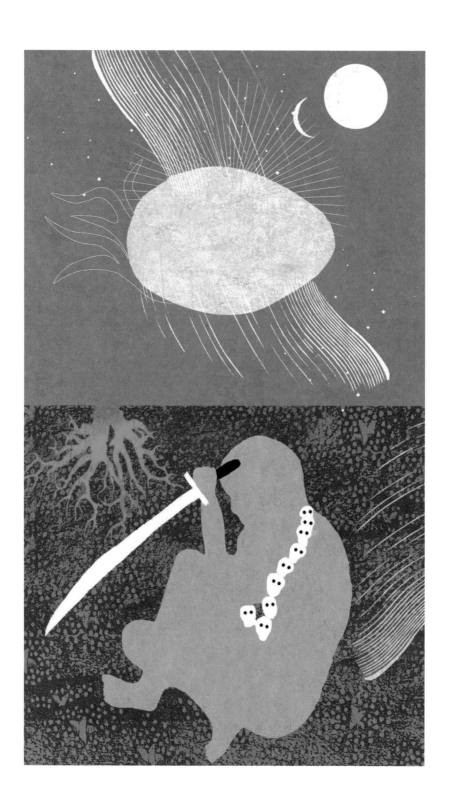

Au cœur des religions, c'est avant tout de la vie qu'il s'agit

Les religions naissent, vivent et meurent à l'image des dieux
et des hommes qui les animent. Les dieux voyagent d'une terre
à une autre, changent de nom et de forme, pour s'évanouir dans
la mémoire collective. Comme leurs divinités, les religions sont
mortelles, mais les questions auxquelles elles tentent de répondre
ne disparaissent jamais. Croyances, mythes, rites et signes
se croisent et s'entrecroisent à l'infini.

Le naissance de la vie, la vie elle-même et l'après-vie sont au cœur
de la pensée religieuse. Le souci de préserver la vie et de la transmettre
a tissé à travers les siècles et les religions le fil qui relie les hommes.
Dans cet ouvrage, il n'est certainement pas question de juger
ou de mesurer la qualité d'une croyance par rapport à une autre,
mais de mener une enquête au cœur de l'histoire humaine pour
déchiffrer les empreintes spirituelles, apprendre à se connaître
et à mieux comprendre l'Autre.

La diversité culturelle et religieuse qui anime nos sociétés est
la garantie de notre humanité. Cet ouvrage a pour seule ambition
de donner à ses lecteurs envie d'en savoir plus…

Les mots en gras sont expliqués dans le lexique page 160

Quatre mille religions et un seul monde

Qu'est-ce qu'une religion ?

Les conceptions religieuses sont fondées à la fois sur le vécu et l'irrationnel. Ce rapport au monde à deux faces se trouve à la source des civilisations.

Toutes les religions obéissent d'abord à un objectif essentiel : organiser et perpétuer la vie en société. Le véritable dieu auquel les hommes vouent un culte, c'est d'abord la société elle-même. Divinités et rituels n'ont qu'un rôle : permettre l'immortalité du clan ou de la tribu, puis du peuple et de la nation. Le culte d'une divinité ne signifie pas la soumission à des puissances supérieures, mais le développement d'un système privilégié de communication avec le divin.

Il s'agit de faire face aux trois mystères de l'existence : la naissance, la vie et l'après-vie. L'homme va développer différents systèmes de pensée qui vont mener à une véritable codification des relations humaines avec le "surnaturel". Ces systèmes de pensée s'adaptent à l'environnement social du groupe humain : chasseurs, agriculteurs, pêcheurs, nomades, sédentaires, marins ou Bédouins… Les différents modes de vie mènent à des lectures différentes de la spiritualité mais ne sont jamais contradictoires. En réalité, les religions se sont toutes bâties autour de principes communs :

1/ Apprendre à lire les signes de l'univers : éclipses, orages, apparitions de la Lune et du Soleil, étoiles filantes, météorites, tremblements de terre, inondations et autres déluges, pour deviner le dessein divin et tenter le cas échéant d'y remédier. Ces attentes mèneront à l'avènement de divinités, notamment célestes, terrestres et maritimes.

2/ Créer ses propres signes pour tenter d'influencer les forces surnaturelles, et obtenir des divinités une protection contre la mort, la maladie ou la stérilité des femmes comme des champs. Cette démarche mènera à la définition du pur et de l'impur, du juste et de l'impie, du sacré et du profane.

3/ Créer des rites pour faciliter la naissance des enfants, le passage des défunts dans l'autre monde et préserver le cycle naturel de la vie. Les rites accompagneront les mythes et les cultes de divinités **chtoniennes**, c'est-à-dire régnant sur la terre au printemps et en été et sur le monde souterrain en automne et en hiver.

4/ Organiser des rituels destinés à délimiter un espace sacré où la communication avec le divin sera facilitée ; ces espaces pourront se trouver en pleine nature, dans une forêt ou au sommet d'une montagne, puis au cœur de temples organisés par des **clergés**. Mais l'homme cherchera aussi à se trouver lui-même en contact permanent avec le divin. Il sacralisera son corps à l'aide de signes, de tatouages, de scarifications, de blessures symboliques ou encore par la pratique du jeûne ou le respect d'interdits alimentaires.

Temps religieux et temps historique n'évoluent pas de façon identique

Toute religion est avant tout un phénomène social, un comportement collectif qui repose néanmoins sur les consciences individuelles. La pensée religieuse a tendance à rapprocher des individualités. Le religieux ne se limite pas à une démarche politique. La religion s'occupe de la vie dans sa dimension éternelle

alors que la politique s'occupe
de la vie dans sa dimension
temporelle. Les religions
veulent s'inscrire hors du temps
alors que l'action politique
se déroule au jour le jour.

Toutefois, la politique cherche
parfois à s'appuyer sur
des attentes individuelles
d'ordre spirituel pour asseoir
sa légitimité sur la société.
Religion et politique n'évoluent
donc pas dans le même espace.
La politique agit de façon
horizontale, s'étendant d'un
groupe d'individus à un autre
groupe d'individus, alors que
la religion s'exprime de façon
verticale, cherchant à s'étendre
au-dessus de l'homme pour
l'aider à identifier sa place
et son rôle dans l'univers.

Même si la politique cherche
à donner une dimension
intemporelle à sa gestion
quotidienne de la vie humaine,
seule la religion évolue dans
un contexte sacré, c'est-à-dire
hors des contingences profanes
– dans une logique hors du
temps qui devrait permettre
à l'homme de se projeter
au-delà de lui-même.

Aujourd'hui encore, certains
systèmes politiques tentent
de s'approprier les sentiments
religieux d'un peuple pour
le gouverner plus facilement.
Ce mélange entre pouvoir

spirituel et pouvoir temporel
crée parfois des situations
de conflit. Le temps religieux
et le temps politique ne sont
pas destinés à se rencontrer.
Ils évoluent dans deux espaces
différents, comme deux lignes
parallèles qui ne se croisent
qu'à l'infini.

La logique religieuse a l'ambition
de construire la société et non
de la démembrer. Il ne s'agit
donc que très rarement d'une
croyance excluant l'Autre, sous
prétexte qu'il serait différent
du modèle religieux.
Les organisations religieuses
qui poursuivraient cette logique
entreraient en fait dans un
temps qui n'est pas le leur,
celui de la gestion politique
d'une société.

Il n'existe pas de trajectoire religieuse

Les croyances et les religions
n'ont pas vocation
à "s'améliorer" et ne partent pas
d'un degré primitif pour
progresser en même temps
que la société.

Une religion n'est pas un moyen
de transport spirituel qui
se perfectionnerait, comme
une charrette qui se
métamorphoserait en formule 1.
Ce n'est pas parce qu'une

religion est la plus récente qu'elle peut avoir le dernier mot et prétendre être le reflet d'une conscience améliorée de la place de l'homme dans l'univers.

De la même façon, une croyance n'est pas plus proche de la vérité parce qu'elle est plus ancienne. Toutes les organisations spirituelles sont le reflet des mêmes préoccupations humaines. Et toutes les réponses apportées prennent place dans des environnements sociaux, culturels, historiques et géographiques particuliers, mais ne sont jamais contradictoires. Seules les tentatives de réécriture du passé pour qu'il corresponde au présent créent des contradictions.

Pour mieux comprendre une religion, il faut donc sans cesse faire l'effort de replacer une foi, une organisation spirituelle dans son contexte d'origine : géographique, climatique, social et historique.

Les religions avant les religions

Imaginez la tête d'un voyageur du futur qui, après un bond de cent mille ans dans le passé, pénétrerait dans les ruines d'une église. Quel sens pourrait avoir pour lui l'effigie de cet homme, cloué sur un pilori en forme de croix ? S'agissait-il d'un sacrifice humain ou encore de l'exécution d'un démon ? Comment considérerait-il le mausolée d'Elvis Presley dans sa propriété de Graceland ? Cet homme divinisé, immortalisé après sa mort, était-il un dieu important ou l'expression d'un culte local ? Comment notre voyageur du temps interpréterait-il les ruines de la tour Eiffel : temple solaire, lunaire ou dédié au dieu de la Seine ? Ou encore les vestiges du stade de France : lieu de sacrifice des perdants ou de culte populaire du soleil représenté par un ballon de football ?

Nous nous trouvons dans la même situation que ce voyageur quand nous tentons d'interpréter les traces des hommes préhistoriques. Rien ne nous permet d'établir des certitudes sur la spiritualité de nos ancêtres. Pratiquaient-ils des cultes religieux ? Croyaient-ils en l'existence de dieux et de déesses ? Imaginaient-ils la mort comme une fin ou comme un passage vers un autre monde ?

Pour établir des hypothèses, nous n'avons qu'une solution : nous appuyer sur les éléments de leur mode de vie que nous pouvons connaître : leur rapport à la naissance des enfants et à l'accompagnement des défunts, le rôle dévolu aux femmes et aux hommes, la façon de se nourrir et d'organiser la vie en société.

Au Paléolithique, les hommes n'existent qu'en groupe

L'homme de **Neandertal** et l'*Homo sapiens* cohabitent jusqu'au commencement de l'ère du **Paléolithique** supérieur, qui s'étendra de 35 000 à 10 000 ans avant notre ère. L'homme se nourrit en chassant, en pêchant et en cueillant les fruits, les feuilles et les végétaux nécessaires à sa subsistance. Au Paléolithique supérieur, il prélève sur son environnement ce dont il a besoin pour vivre. Ces ressources sauvages apparaissent au fur et à mesure des saisons. Il ne s'interroge pas sur la source de cette abondance. Il évolue dans un immense garde-manger !

L'homme n'envisage pas de maîtriser la nature dont il fait partie. Il n'a pas encore imaginé domestiquer la terre et les animaux qui y vivent, ni entrepris de faire proliférer espèces animales et plantes qu'il consomme. Il subit la nature qui l'entoure et n'imagine pas encore modifier un jour le fil de sa propre vie.

L'homme de Neandertal et son compagnon *Homo sapiens* du Paléolithique supérieur vivent dans un temps ponctué par deux frontières, la naissance et la mort. Entre les deux, ils existent dans une sorte de permanence temporelle qui ne les incite pas à se projeter dans l'avenir. L'homme préhistorique ne perçoit pas les objets du monde dans leur individualité mais dans une totalité indifférenciée et continue. Il attribue un pouvoir magique uniquement à ce qui est directement lié à sa survie. L'homme n'éprouve pas encore la nécessité d'obtenir l'intervention d'êtres surnaturels pour garantir cette survie et la perpétuation de son clan.

Ensevelir les morts, un signe de religion ?

Ensevelir les corps des défunts est considéré par certains comme le signe de l'émergence d'une pensée religieuse. À la différence des animaux, l'homme du Paléolithique supérieur semble respecter un culte des morts puisqu'il prend la peine de les enterrer. S'agit-il d'un espoir dans la continuation de la vie après la mort ? Imagine-t-il qu'en protégeant les corps sous la terre il permettra aux défunts de revivre un jour dans ce même corps ? Le soleil se couche bien chaque soir dans la terre pour en renaître le matin. Pourquoi n'en serait-il pas de même pour l'homme ?

Mais peut-être l'enterrement des défunts répond-il tout simplement au besoin de préserver les corps de la faim des bêtes sauvages…

Un culte des crânes ?

Depuis 1,5 million d'années, l'homme a conservé des crânes. Mais s'agissait-il de l'expression d'un culte des morts, de la conservation d'un trophée ou de restes de festins anthropophages ? La mise en place d'ossements humains ou de crânes de mammouths signifie-t-elle une préoccupation religieuse, un repas pris par le clan assis en cercle ou encore des outils abandonnés ayant servi à maintenir la base des tentes des chasseurs ?

L'ocre, premier signe religieux

La seule preuve d'une culture "religieuse" au Paléolithique est apportée par l'utilisation de teinture ocre dans le cadre de l'ensevelissement des défunts. Au Paléolithique supérieur, le corps est généralement enseveli avec de nombreux coquillages, des colliers et des morceaux d'ivoire dans une tombe teintée d'une poudre ocre. L'ocre symbolise probablement le sang, vecteur de vie, et les coquillages le principe de la fertilité féminine. La tombe semble rappeler le ventre maternel du défunt avant sa naissance. Souvent repliés sur eux-mêmes dans une position fœtale, les défunts paraissent avoir été rendus à la terre dans la perspective d'une nouvelle naissance. Le fait de ne pas dépouiller les corps de leurs bijoux indique qu'ils en auraient besoin dans l'autre monde. Ce type de pratique a peut-être inspiré plus tard l'émergence d'une déesse nourricière associée à l'agriculture et à la promesse biblique "Tu es poussière et tu retourneras à la poussière" – en fait une promesse de vie éternelle.

Certes, la "religion" d'alors ne peut être distinguée de la magie, mais il s'agit bien, avec l'utilisation de l'ocre, d'une tentative humaine de modifier le rapport entre vivants et morts.

Le rituel des mains

L'homme du Paléolithique a laissé l'empreinte de sa main sur les parois des cavernes où il a vécu. Des mains enduites d'un pigment puis appuyées sur la paroi ou des mains au contour cerné par une poudre projetée à l'aide d'une sorte de pinceau ou tout simplement soufflée par la bouche. De nombreuses empreintes montrent des mains mutilées, pour la plupart des mains gauches de femmes ou d'enfants, avec des doigts amputés ou raccourcis. On peut exclure la possibilité que ces doigts soient repliés, en raison de l'application de la paume et non du dos de la main. L'hypothèse de maladies comme la lèpre ayant été écartée par les spécialistes, il paraît évident que ces mutilations ont été volontaires.

S'agit-il d'une prise de contact avec les puissances surnaturelles, d'un rite lié au deuil, d'une protection contre les maladies ou la mort, d'une blessure symbolique liée à un rite

de passage de l'enfance à l'âge adulte ou, pour une femme, de la puberté ou du mariage ?

Est-il possible que ces mains mutilées soient dessinées en substitution à des animaux blessés ou tués par les chasseurs ? On peut supposer qu'elles font partie de l'ensemble de la caverne. Territoire féminin et enfantin au même titre que le ventre maternel, la caverne préfigure les labyrinthes de la mythologie grecque dont les héros comme Thésée ressortent dans une forme de renaissance. La relation entre un symbole féminin, une blessure symbolique et une couleur sanguine exprime à l'évidence une préoccupation vitale, la protection contre des dangers ou des maladies.

Le mystère reste entier. Néanmoins, l'aspect universel de la main comme symbole d'humanité traversera toutes les religions, indissociable d'une signification de vie et de protection.

L'art des cavernes, magie ou religion

Des bisons d'un réalisme troublant de vérité, percés de flèches, les sabots fendus : la figure animale tracée avec talent sur les murs des cavernes de l'ère paléolithique n'est pas simplement décorative. La précision du dessin des sabots reflète les traces indispensables aux chasseurs dans la traque du gibier. Mais au-delà, la représentation

par l'image du gibier convoité fait partie des multiples rites de magie pratiqués par les hommes du Paléolithique. Il est probable que les cavernes où étaient représentés des bisons, des taureaux, des cerfs, des ours ou encore des mammouths s'inscrivent dans une logique religieuse. La caverne, réservée aux initiés, aurait été le cadre d'un terrain de chasse magique peuplé de tout le gibier voulu, indispensable pour la perpétuation de la vie du clan. Ce premier lieu "sacré" était peut-être considéré comme habité par les esprits des animaux tués à la chasse.

Le rôle vital de la chasse

La présence de figures féminines au Paléolithique s'expliquerait par une corrélation magique entre la chasse et la femme. Chez les Winnebagos, Indiens d'Amérique, l'époux d'une femme enceinte est obligé d'aller à la chasse afin que cette dernière puisse allaiter l'enfant qui va naître. Un jeune homme de la tribu des Koyukukhotana qui n'aura pas tué de cerf sera tenu comme incapable de procréer des enfants. La chasse étant associée à la guerre, les femmes des Sarmates, un peuple nomade de langue iranienne, dont le territoire s'étendait entre le Danube et l'Oural, ne pouvaient se marier avant d'avoir tué un ennemi au combat. Ces femmes, à l'origine du mythe des Amazones, n'ont fait que reproduire les rites de chasse du Paléolithique dont le rôle vital était indispensable.

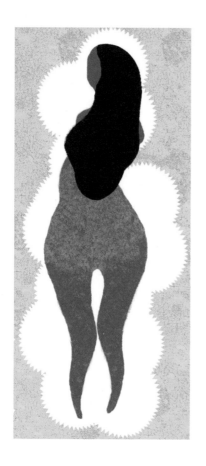

La femme, source de la vie

Si le rôle essentiel de la femme dans la production de la vie ne fit jamais aucun doute, le rôle de l'homme était plus incertain. La conscience de la paternité n'existe pas encore et la relation sexuelle n'apparaît pas directement liée à la grossesse. L'acte sexuel s'apparente davantage à un rite menant à la fécondation

des femmes qu'à un acte directement reproducteur. Il est indispensable à la stabilité de la société, puisqu'il garantit la vitalité du groupe. Dans certaines représentations préhistoriques, le phallus apparaît comme un talisman qui assure la fécondité des femmes, mais pas comme le contributeur direct à la fécondation espérée.

L'homme n'est alors qu'un accessoire dans la reproduction du clan. Dès le Paléolithique supérieur, la représentation de la femme en ivoire, en os ou en pierre fait son apparition. Sommes-nous aux origines des cultes de Vénus, Isis et autres déesses mères ? Probablement, d'autant que les coquillages, symboles de féminité, et l'ocre rouge, symbole du sang vital, sont de plus en plus souvent présents dans les tombes.

Dans les peintures murales, la femme est reconnaissable à ses attributs féminins, les seins le plus souvent, alors que l'homme est identifiable par élimination : il ne porte aucune indication sexuée. Le phallus n'a pas l'importance qu'il va revêtir à partir de l'ère néolithique et de la révolution de l'agriculture. Et si les figurines féminines sont communes, les statuettes masculines sont plutôt rares.

Le premier culte aura donc été celui de la mère, dont les représentations ne s'apparentaient pas à une véritable religion mais plutôt à un culte magique destiné à garantir la fécondité des femmes et la perpétuation du clan.

L'homme du Paléolithique invente la dualité

Depuis l'éveil de l'homme religieux, le monde va par deux. La nuit et le jour, le ciel et la terre, le Soleil et la Lune, la vie et la mort, l'homme et la femme : il semble que l'univers de l'homme du Paléolithique supérieur soit organisé selon une vision dualiste du monde. Chaque être vivant, chaque chose, chaque événement naturel est constitué de deux parties. Tout ce qui existe ou se produit a une contrepartie. Le monde animal est donc complémentaire du monde humain, puisque l'animal chassé est identifié à la survie de l'homme.

Animal = survie, une égalité qui mènera sans doute à une relation mystique, quasi religieuse entre l'homme et l'animal. L'animal sera assimilé à un protecteur dont on assimile les qualités vitales, la force, la rapidité ou le courage ; ce sont sans doute les premiers pas d'une logique **totémique** que nous retrouverons dans les organisations tribales sur tous les continents. Cette dualité deviendra un élément universel du système de pensée humain à travers des couples incontournables : le bien et le mal, le juste et l'injuste, le pur et l'impur ou encore le sacré et le profane… Aujourd'hui encore, nous raisonnons selon cette logique dualiste.

L'invention de l'agriculture et la naissance des dieux

L'âge de la pierre polie, le **Néolithique**, sera le théâtre d'une immense révolution. L'homme va abandonner progressivement la cueillette pour l'agriculture, remplacer la chasse par l'élevage d'animaux, et, avec l'apparition des premiers villages, passer d'une vie nomade à une vie sédentaire. C'est au Proche-Orient que le Néolithique fait ses premiers pas. Le blé et l'orge sont domestiqués dans la région de **Jéricho** et l'oasis de **Damas**. L'élevage des chèvres, puis celui des moutons et des porcs se répandent aux alentours de l'**Euphrate** et du **Jourdain**.

Avec le développement de l'économie agricole apparaît une véritable révolution des symboles. Dix millénaires avant notre ère, la naissance de l'agriculture paraît directement liée à une nouvelle organisation religieuse. Des figurines représentant une femme et un taureau apparaissent dans tout le Proche-Orient. Ces symboles seront la clé de voûte des futurs panthéons religieux, et prendront des formes différentes selon les régions et les périodes historiques.

À travers une représentation fidèle de ce qu'il observe dans la nature, comme les cycles des astres et des saisons, l'homme espère créer un effet qui réponde aux préoccupations vitales. Les rites "par imitation" font partie de la logique magico-religieuse, comme jeter de l'eau pour faire pleuvoir, ou avoir des relations sexuelles dans les champs pour inciter la terre à être féconde. La révolution agricole favorisera l'expression d'une nouvelle religion où l'homme, la femme, la filiation, les défunts, la terre et les saisons prendront une place essentielle et complémentaire. Les dieux et les déesses vont apparaître, et naturellement les rois, reflets terrestres des bergers divins.

L'agriculture et l'élevage des animaux, un rite ou un progrès ?

Il ne semble pas que l'homme se soit décidé à cultiver la terre et à domestiquer des chèvres pour répondre à des besoins alimentaires nouveaux. En effet, il n'y eut pas à cette époque (environ 9 500 ans avant notre ère) de catastrophe qui aurait pu provoquer une migration forcée des clans vers des régions où la cueillette et la chasse se seraient avérées plus difficiles.

Il n'est pas non plus question d'une augmentation soudaine de la population humaine qui aurait mené à des famines imposant le développement de nouvelles techniques pour se nourrir. En fait, l'environnement humain ressemble au jardin mythique de la Création. La nourriture y est abondante et une semaine de cueillette suffit à nourrir un clan pendant des mois. Une explosion démographique sera constatée au Proche-Orient, mais seulement après la naissance de l'agriculture. Celle-ci n'est donc pas causée par une pénurie.

En réalité, il apparaît que la naissance de l'agriculture et la domestication d'animaux sont liées à une volonté humaine de maîtriser son environnement. C'est une véritable mutation spirituelle. L'homme appréhende les réalités naturelles comme une symbolique qui lui permet de mieux comprendre le monde et d'y trouver sa place. Jusque-là, seules les puissances surnaturelles mettaient des proies sur le chemin des chasseurs et des fruits sur celui des cueilleurs. Avec l'agriculture et la domestication d'animaux, l'homme opère une véritable révolution spirituelle. Il se place au centre du monde. La pensée devient symbolique

LE CULTE DES DÉFUNTS IMPOSE-T-IL LA PRATIQUE DE L'AGRICULTURE ?

La mort est la dernière frontière, une terre au-delà de la terre, que l'homme n'a pas encore conquise. Cette prise de conscience de sa propre mortalité et la peur du retour des morts à la vie terrestre l'incite à vouer un culte aux défunts pour s'assurer que le passage dans l'au-delà se fera dans les meilleures conditions et que leurs esprits ne seront pas tentés de revenir se venger. Les hommes croient que les défunts peuvent agir sur la destinée des vivants. La vie ne se termine donc pas à la tombe. Au contraire, les hommes du Paléolithique supérieur et du Néolithique y introduisent de la nourriture, des vêtements, des outils et même des armes afin que le défunt puisse continuer son existence dans l'autre monde. Ce culte des morts impose à l'homme de se sédentariser. En abandonnant son nomadisme perpétuel, il est probable qu'au lieu de chercher de plus en plus loin des plantes à cueillir et des animaux à chasser, il ait choisi de cultiver la terre et d'élever des animaux pour sa consommation. Il est possible que la révolution agricole ait été la conséquence d'une démarche religieuse et non d'un progrès technique.

et la spiritualité prend le pas sur le matérialisme. Avec la pensée religieuse, l'homme s'émancipe du diktat de la nature. Il ne s'agit plus pour lui de se contenter de survivre et de faire vivre. Il est question désormais de vivre et de domestiquer la mort en s'inscrivant dans le cycle perpétuel des saisons.

Le cycle des saisons organise le rite religieux

La révolution de l'agriculture place au centre des préoccupations humaines la fertilité de la terre et la succession des saisons. Les rites autrefois destinés à la multiplication des espèces animales en vue de la chasse sont désormais consacrés aux puissances surnaturelles de la nature elle-même. L'union du ciel et de la terre, la fertilisation des champs par la pluie céleste seront à la base des futures mythologies, comme le mariage de Zeus, dieu du ciel, et de Déméter, déesse de la terre, ou encore les fêtes de printemps à **Babylone**. Puis viendra la célébration biblique de la Pâque, à l'origine une fête de pasteurs immolant un agneau

LA CORRIDA, UN RITE RELIGIEUX FONDATEUR

Une peinture murale datant de 6 500 ans avant notre ère, découverte sur le plateau anatolien en actuelle Turquie, montre un homme barbu chevauchant un taureau. Le mythe de **Thésée** décrit son combat contre un taureau blanc qu'il saisira par les cornes et traînera triomphalement à travers Athènes. Cette scène rappelle les courses de taureaux (et de vachettes, courage oblige !) dans les rues de Pampelune et de Bayonne. La tauromachie est sans doute le rite religieux le plus ancien pratiqué aujourd'hui comme il l'était déjà il y a près de dix mille ans. Il s'agit d'une cérémonie de mort et de vie, de la perspective d'une renaissance du printemps après des mois glacés d'hiver. Le sacrifice du taureau est destiné au dieu du ciel pour qu'il vienne fertiliser la terre. Au moment de la mise à mort du taureau, le sacrificateur demande aux dieux d'apporter l'abondance aux humains.

pour obtenir la fertilité du bétail, puis la consécration au temple de **Jérusalem** des prémices de la moisson.

Dans le christianisme, le sang de l'agneau pascal prendra une signification liée à la rémission des péchés et à la résurrection. Pâques, comme les fêtes de printemps, exprime le passage de la mort à une vie nouvelle, garantie de la perpétuation cyclique de la vie, sans doute l'un des moyens que l'homme a imaginés pour dompter le temps qui passe.

Le culte du taureau

Au Xe millénaire avant notre ère apparaît, aux côtés de la représentation d'une femme, celle d'un taureau. Le couple magico-religieux femme-taureau se diffusera à travers le Proche-Orient. La religion du Taureau perpétue l'aspect masculin de l'orage et de la force guerrière. Ses cornes rappellent l'aspect céleste de la Lune. Taureaux et bœufs labourent la terre. Pour la première fois, le rôle masculin est représenté dans la perpétuation de la vie. L'homme capable de dompter le taureau devient lui-même cet animal, comme le dieu Baal d'**Ougarit**, chevauchant

les nuées pour maîtriser
les tempêtes.
Ce duel homme-taureau, qui
symbolise le combat du courage
et de la force, et la maîtrise
de la nature par l'homme
à travers l'agriculture et l'élevage,
est à l'origine de la tauromachie
et du mythe du Minotaure,
l'homme à tête de taureau
combattu par le héros Thésée
dans le labyrinthe de Minos roi
de Crète. À **Sumer**
en Mésopotamie, il y a six
millénaires, le dieu-taureau
Enlil est la divinité de la fertilité
et souverain de la terre. Dans
l'ancienne Ougarit, en actuelle
Phénicie, le dieu El représenté
par un taureau est le dieu
suprême de la région.
Selon la **religion védique**, Indra,
le dieu aux bras de foudre,
est représenté par les cornes
de taureau dressées vers le ciel,
comme deux bras levés vers
la lune en forme d'incantation.
Le prophète des Perses,
Zarathoustra, est montré
sous la forme d'un taureau.
Zeus, qui commande
à la foudre, au tonnerre,
à l'orage et à la fertilité
du monde, est lui aussi assimilé
au taureau.

La légendaire corne d'abondance
est bien le symbole d'une corne
de taureau brisée et conservée
pour assurer la fertilité de la
famille, des champs ou encore
des troupeaux.

Aux premiers siècles de notre
ère, le culte de **Mithra** est celui
d'un taureau. Au cours
de cérémonies initiatiques, l'âme
des fidèles est purifiée par
le sang d'un taureau qui ensuite
est sacrifié par le feu, les cendres
étant une promesse de
renaissance. Les Taurini, "Ceux
qui adorent le taureau", étaient
une peuplade installée à l'**âge
du bronze** sur une grande
partie du Piémont en actuelle
Italie. Leur capitale sur
l'emplacement de l'actuelle
Turin (Torino) fut détruite
en - 218 par **Hannibal**.

Le mythe du Minotaure

Le Minotaure est un monstre
à moitié homme et à moitié
taureau. Né des amours
infidèles de Pasiphaé, la femme
de Minos, roi de Crète,
le Minotaure est enfermé
dans le labyrinthe construit
par l'architecte Dédale. Le roi
Minos exige des Athéniens
de livrer tous les neuf ans (c'est-
à-dire à la fin de chaque grande
année lunaire) sept jeunes
hommes et sept jeunes filles
qui seront emprisonnés dans
le labyrinthe où le Minotaure
les dévorera. Le héros athénien
Thésée s'introduira dans
le labyrinthe et tuera
le Minotaure, mettant fin
à cette tradition sacrificielle.

LA FEMME ET LA TERRE, LES DEUX VISAGES DE LA VIE

La révolution de l'agriculture fut d'abord une affaire féminine, l'homme étant en priorité occupé à chasser le gibier ou à faire paître ses troupeaux. Ce sont les femmes qui sèment et, si possible, des femmes enceintes dont le pouvoir est censé provoquer la fertilité du sol. Rapidement, la femme est associée à la terre et l'homme au laboureur qui la féconde. À travers toutes les cultures religieuses, la terre mère deviendra la "mère des graines", une déesse agricole sous le visage de la déesse grecque **Déméter**. La femme qui donne la vie introduit aussi le nouveau-né à la mortalité. C'est de la terre que naît la vie, c'est à la terre que retournent les défunts. Alors les déesses agricoles endossent deux visages, celui de la fertilité et celui de la mort.

Les divinités chtoniennes, des déesses régnant à la fois sur la terre et sur le monde souterrain suivant les saisons, font leur apparition. **Perséphone**, fille de Déméter et reine du monde souterrain, sera l'épouse d'Hadès, dieu des enfers, durant trois mois. Les neuf autres mois de l'année, Perséphone vivra sur terre avec sa mère Déméter. Ce mythe illustre parfaitement les mystères de l'agriculture. Dans le monde préhellénique, une figurine de blé féminine est enterrée en hiver et exhumée au printemps. Le nom de **Dagan**, le dieu agraire du Proche-Orient au IIIe millénaire avant notre ère, se traduit par "blé", alors que le dieu **Baal** sera appelé "l'époux des champs". Plus tard, le christianisme glorifiera la Vierge Marie en tant que terre non labourée qui donne pourtant des fruits. Le Coran assimilera la femme à "vos champs qu'il faut labourer".

Tabous et totems : la société humaine s'organise

Les **tabous** interdisent à l'homme d'agir. Jamais un tabou n'oblige à une action ou n'autorise une action. Il a pour objectif de préserver la vie, de la perpétuer. L'homme n'a pas toujours eu conscience de sa mortalité. Il pense pouvoir vivre éternellement sans l'intervention de puissances surnaturelles, due à une faute qu'il aurait commise ou un tabou qu'il aurait transgressé. Un accident, la lance d'un ennemi, la vengeance d'un fauve pourchassé ou encore un souffle malin : la mort frappe toujours pour une raison. Si l'homme meurt, c'est qu'il l'a mérité. N'est-ce pas à la mortalité qu'**Adam et Ève** seront condamnés pour avoir consommé un fruit interdit de l'arbre de la connaissance du bien et du mal ? L'homme organise son existence autour d'un système de tabous, d'interdits qui ne peuvent être transgressés sous peine de mort. Certaines sociétés n'agissent qu'en fonction de la puissance taboue d'une personne, d'un lieu, d'un animal ou d'un objet. Où construire une maison, quand partir chasser ou pêcher, à quel moment se marier ou avoir des enfants ? Pas un geste n'est fait sans interroger l'avis des puissances supérieures. Tout est sacré, donc tout est tabou.

Ces systèmes de tabous vont inspirer les interdits religieux, comme les interdits alimentaires, l'inceste ou encore le meurtre. Le monde va s'organiser autour de concepts comme le pur et l'impur, le sacré et le profane, puis le juste et l'injuste. Aucune religion ne se construit en contradiction avec les tabous originels qui gèrent notre société, des interdits qui ne sont pas discutables et qui ne sont pas justifiés. D'ailleurs les tabous ne sont pas imposés par des divinités, mais s'imposent à ces dernières et à leur discours.

La violation du tabou

La transgression d'un tabou entraîne un châtiment social, une condamnation à mort, un bannissement ou une punition appliquée par la société humaine qui espère ainsi se purifier de la faute d'un de ses éléments. Mais le tabou émane de puissances supérieures à l'homme ; ce sont elles qui, en premier lieu, se chargeront de châtier le transgresseur : il perdra la protection des dieux, son talisman de vie deviendra inefficace. Le transgresseur entre dans une confusion mentale ; angoissé, inquiet, il se retrouve à la merci de mauvaises influences. Son principe vital est atteint et son physique décline. L'homme devient la proie de maladies et d'accidents. Sa fin se rapproche. Mais attention : le châtiment d'une transgression est indépendant de la volonté du transgresseur. Si une jeune fille mange d'un fruit sans le savoir tabou, si un homme foule le sol d'une terre taboue même sans s'en rendre compte, la punition sera immédiate, spontanée et automatique. Il n'est pas question de culpabilité mais de transgression. On ne plaisante pas avec les tabous !

LE TOTÉMISME

Les groupes humains se sont d'abord rassemblés autour de totems. Des animaux, des arbres, des plantes, des pierres dont l'homme aimerait s'attribuer les qualités. La rapidité de la panthère, la force de l'éléphant, la précision de l'aigle, la régénérescence de l'arbre, la fertilité surprenante du poisson sont autant de pouvoirs dont l'homme a besoin pour survivre. Puis les hommes se convaincront qu'ils sont les descendants de leurs totems. Il ne suffit plus d'avoir la puissance d'un lion, il faut être un lion. Il sera donc impossible de verser le sang de son totem, donc d'en consommer. Interdit le cas échéant de manger du cheval, du porc, du chien, du loup ou encore certains poissons. Interdit donc de faire couler le sang des femmes du clan, donc impossible de prendre la virginité de leurs filles : il faudra exporter la procréation. C'est la naissance de l'exogamie, c'est-à-dire l'obligation de convoler uniquement hors du groupe. Il sera possible de sacrifier un animal totémique, mais uniquement en cas de catastrophe à conjurer, et pas question de consommer l'animal sacrifié. Ce serait manger un membre de sa famille. La victime sacrificielle ne meurt pas, elle a accès à l'immortalité à travers ce rituel.

Le totem
ne discrimine pas

Le totem n'est ni féminin ni masculin et il s'intéresse aussi bien à l'homme qu'à la femme. Ainsi en Calédonie, le totem Lézard n'organise pas une mythologie des sexes, mais représente le mythe même de la sexualité. Il est le principe de la nature et de la vie de l'être, dispensateur de vie et de fécondité dans le clan et dans ses champs.

On ne prononce
pas son nom

On ne prononce pas le nom du totem à tort et à travers. Une immense pudeur enveloppe son nom. L'animal totémique est choyé mais il est aussi craint. Prononcer son nom, c'est l'interpeller dans ce qu'il a de plus privé et sacré dans son corps. Son nom est l'essence même de son être.

Comment ne pas faire le rapprochement avec le commandement biblique : "Tu ne prononceras pas mon nom en vain", ou rappeler que le véritable nom du dieu biblique est secret : le "El" contenu dans Israël désigne la divinité mais ne donne pas son nom. Adonaï signifie simplement "Seigneur". Allah n'est pas le nom du dieu de Mahomet mais sa désignation, son nom reste dans l'islam également secret.

L'arbre, le premier totem

Pour mieux comprendre les récits mythologiques et l'organisation des rites religieux, il suffit de se pencher sur la vie des arbres et d'observer les cycles des saisons. Il n'existe pas une seule religion qui ne trouve ses racines dans celles des arbres. Depuis que l'homme a pris conscience de sa mort inévitable et inventé l'agriculture, son destin spirituel a été lié à la vie des arbres. Il ne s'agit pas de transformer l'arbre en divinité, mais d'espérer bénéficier de ses qualités.

Symbole de la résurrection perpétuelle de la végétation, symbole de fécondité inépuisable, l'arbre reste un attribut. Il n'existe pas de culte des arbres mais un culte de ses qualités vitales. L'arbre est chargé d'une force sacrée. Parce qu'il pousse, perd ses feuilles, les récupère, porte des fruits et se régénère périodiquement, l'arbre est une promesse de longévité pour l'homme.

L'ensemble pierre-arbre-autel constitue un schéma classique au Proche-Orient ancien. C'est une pierre que dresse Jacob comme autel à Yahvé, alors que l'échelle que parcourent les anges, dressée sur la terre et atteignant le ciel, a tout d'un arbre sacré.

L'ARBRE DE VIE
Selon les textes bibliques, dans le jardin de la Création se trouvent deux arbres, l'arbre de la connaissance du bien et du mal, dont Ève et Adam, sur les conseils du fameux serpent, consommeront les fruits, et l'arbre de vie, celui de l'immortalité, caché, protégé par un serpent qui sera rapidement décrit comme un monstre, un dragon que les héros et les saints comme saint Georges combattront pour faire triompher la vie sur la mort.

Dans la pensée chrétienne, la croix du supplice de Jésus devient le prototype de l'arbre de vie, qui ressuscite les morts

ou guérit les maladies. Le bois
de la croix découverte
à Jérusalem par Hélène, mère
de l'empereur **Constantin**,
aurait accompli des miracles.
Ce bois aurait été taillé dans
l'arbre de vie planté dans
le paradis originel. Certes,
les légendes de la découverte
de morceaux de la croix qui
servit à la crucifixion de Jésus
par **Ponce Pilate** sont plus
nombreuses que des arbres
dans une forêt, mais ce qu'il
faut noter, c'est que le concept
d'un arbre-totem traverse bien
l'ensemble des croyances.

LE BOULEAU,
C'EST LA SANTÉ !
Le bouleau préside au premier
mois de l'année, selon
le calendrier sacré des Celtes.
Situé entre le 24 décembre
et le 21 janvier, le mois du
bouleau est celui de la victoire
du soleil sur les ténèbres.
Brigitte, sainte irlandaise
de la renaissance du feu,
dont le nom Birgit est issu
de la racine *Bhirg*, le bouleau,
est célébrée le 1ᵉʳ février, mois
des purifications, à la veille
de la Chandeleur. Cette fête
de la lumière (fête des
chandelles) est célébrée à Rome
selon le culte du dieu **Pan**
(Faunus), divinité des champs
et des forêts, protecteur
de la fécondité.
En 494, le pape **Gélase**

remplacera le culte de la lumière
par la célébration de
la purification de Marie après
quarante jours d'impureté dus
à l'accouchement d'un garçon,
selon le code biblique du
Lévitique. Dans la mythologie
germanique, le bouleau
est l'arbre de **Thor**, dieu
de la foudre. Le début du mois
du bouleau, le 24 décembre,
n'est pas sans rappeler le culte
de l'arbre de feu (frappé par
la foudre) perpétué par la fête
de Noël.

LE CALENDRIER DES ARBRES, UN TEMPS UNIVERSEL

Dans les mythologies grecque, romaine, celte, gauloise ou proche-orientale, les calendriers s'organisent autour d'arbres-totems. De nombreux bouleversements ont modifié l'ordre des arbres ou même leur choix, mais le principe d'un calendrier des arbres reste immuable. Chaque mois lunaire de vingt-huit jours exprimera aussi des syllabes, des lettres non écrites mais décrites par des mouvements des doigts un peu comme dans une langue de sourds-muets. Chaque doigt de la main correspond à un arbre. L'olivier par exemple correspond au pouce, siège de la virilité, arbre dédié à Héraclès.

Dans la Grèce archaïque, treize arbres correspondent au treize mois d'une année lunaire : le bouleau, le sorbier, le frêne, l'aulne, le saule, l'aubépine, le chêne, le houx, le noyer, la vigne, le lierre, le roseau et le sureau.

L'ARBRE ET LA BIBLE

Selon la Bible, **Abraham** aurait fait une étape au chêne de **Moré** et y aurait élevé un premier autel. Puis le patriarche s'installera avec son clan et, plus tard, son fils **Isaac** dans la chênaie de **Mambré**. C'est à travers un **buisson ardent**, qui brûle mais ne se consume pas, que **Yahvé** s'adressera sur le mont Sinaï à Moïse et lui intimera d'organiser l'Exode des **Hébreux** d'Égypte afin qu'ils se rendent en Terre promise. C'est sous un palmier que la prophétesse Déborah jugera les tribus d'Israël. Saül, le premier roi d'Israël au Ier millénaire avant l'ère actuelle, installera son quartier général sous le grenadier de **Migrôn**. Les arbres ont tant d'importance dans la pensée biblique qu'abattre des arbres fruitiers, même en période de guerre, sera interdit par le Lévitique.

LE BOUDDHA ET LE FIGUIER COSMIQUE

Siddhârta Gautama, le futur Bouddha, se rend dans un bois sacré dominé par un arbre plus haut que les autres, un figuier destiné au culte des divinités de la fertilité. Le jeune ascète prend place devant le figuier et s'engage à ne pas quitter cet arbre tant qu'il n'aura pas obtenu l'Éveil, c'est-à-dire la conscience qui lui sera indispensable pour prodiguer son enseignement. Le futur Bouddha vient d'offrir sa vie en sacrifice au figuier cosmique dans l'espoir d'en retirer la connaissance de la vie et de la mort. Cette vénération de l'arbre-totem lui apportera la conscience qu'il recherche. Mais c'est en se confondant avec l'arbre cosmique que le Bouddha parviendra à l'Éveil. C'est donc le figuier qui est le grand Éveilleur et non le Bouddha lui-même. En fait, c'est en touchant le tronc de l'arbre que le jeune ascète réveille la conscience de ses vies antérieures. Toucher du bois aujourd'hui n'est donc pas qu'une superstition ; c'est aussi le désir de découvrir la vérité du sens de sa vie. La mère du futur Bouddha en route vers sa famille près de laquelle, selon la tradition, elle devrait accoucher, s'arrêtera en chemin dans un magnifique jardin. Elle y accouchera debout, en se soutenant à la branche d'un arbre **sâl**. La destinée du Bouddha est donc, depuis sa naissance, liée au rapport entre les arbres et la spiritualité.

LE MOT "DRUIDE"
SERAIT INSPIRÉ DU MOT
GREC *DRÛS* QUI DÉSIGNE
LE CHÊNE
Les druides ne tiennent rien
de plus sacré que le gui
et l'arbre qui le porte, le chêne.
Ils considèrent que tout ce qui
pousse sur un chêne est envoyé
par les dieux. Quand ils
découvrent du gui, c'est
l'occasion de rituels accomplis
le sixième jour de la lune.
Ils amènent deux taureaux
sauvages blancs, peut-être
des aurochs, et lient leurs cornes
avec une corde de chanvre.
Enfin, à l'aide d'une serpe d'or,
les druides coupent le gui.
Le romain Pline l'Ancien
rapporte dans son ouvrage
Histoire naturelle que le gui,
appelé par les Gaulois "celui
qui guérit tout", guérit
de l'épilepsie et permet
aux femmes d'avoir des enfants.
Cueilli sur le chêne, il est une
garantie de régénérescence.

Les rituels de passage et d'initiation

L'existence d'un homme est organisée selon des seuils qu'il lui faut successivement franchir. Naissance, adolescence, mariage, parentalité, vieillesse, mort, après-vie sont autant d'étapes qu'il faut passer, autant de portes qu'il faut ouvrir et refermer derrière soi. À certaines étapes de sa vie, l'homme se trouve dans une situation "liminale", c'est-à-dire sur le point d'entrer dans un monde et de quitter le précédent. Cette situation intermédiaire où, par exemple, le garçon n'est plus tout à fait un enfant et pas encore un adulte, où une fille n'est pas tout à fait une femme et pas encore une mère, est facilitée, pour ne pas dire officialisée, par des rites de passage.

Toutes les sociétés ont leurs rites de passage. Il y a dix mille ans, comme aujourd'hui, le passage des seuils permet l'introduction de la personne concernée dans la société, son acceptation au sein d'un groupe, la reconnaissance de ses droits et de ses devoirs. Un rite de passage est un visa pour entrer dans un nouveau monde sans possibilité de marche arrière.

L'accompagnement des défunts est le rite de passage par excellence

La mort provient de l'absence prolongée et définitive de l'âme hors du corps. Le décès est toujours provoqué par une cause hostile : mauvais sort, maladie, vengeance. Un fois la mort constatée, il faut faciliter le passage du défunt du monde des vivants vers sa dernière résidence, une région où, en général, se couche le soleil et où résident déjà ses ancêtres. En Égypte, le *Livre des morts* organise avec précision ce passage entre la vie, la mort et l'immortalité.

De façon similaire à travers
les cultures, des rites de passage
accompagnent le défunt :
offrandes de nourriture,
récitation des généalogies,
mutilation des proches qui
se tranchent une phalange
de la main, se coupent l'oreille
ou s'arrachent une dent.
Les rites funéraires sont avant
tout des rites de passage
indispensables au défunt.

Décapiter les ennemis, un rite de passage

Les Gaulois avaient l'habitude
de trancher la tête de leurs
ennemis morts. En Irlande,
la récolte des crânes faisait partie
d'un rite de passage des jeunes
gens à l'âge adulte. En Indonésie,
les jeunes gens n'ont accès
au mariage qu'après avoir coupé
une tête. En Irlande, le portail
de l'église de Clonfert aligne
encore sa pyramide de chefs
décapités. Chez les Celtes,
la chasse aux crânes fait partie
d'un système de rites essentiels
à la perpétuation du groupe.
En coupant la tête d'un mort,
le jeune homme s'approprie
sa vitalité et sa fécondité.
Décapiter et émasculer étaient
deux rites de passage équivalents
puisque l'homme était
convaincu que le fluide vital
indispensable à la procréation
avait sa source dans la tête.

La première coupe de cheveux

Donner naissance à un enfant
n'est pas suffisant pour qu'il
existe. Sa longévité, sa santé,
sa place dans la société : rien
ne va de soi. Consolider l'être
physique et social d'un
nouveau-né ou d'un enfant
nécessite une succession
de rites, un appareil symbolique
incontestable par la société
comme par les divinités.

ATTIRER LA PROTECTION DES DIEUX

Le rite préislamique de sacrifice d'une mèche de cheveux du nouveau-né le septième jour de sa naissance a pour objectif d'attirer la protection divine sur l'enfant.

Le nouveau-né se trouve dans une situation liminale : il n'est plus une chose et pas encore un enfant à part entière, c'est-à-dire pas encore nommé. La première coupe de cheveux a pour vocation de marquer le passage du seuil fatidique d'une semaine d'existence et donc d'une chance de survivre.

LA CHEVELURE DES ENFANTS, LES FRUITS DES ARBRES

Ce rituel de la première coupe de cheveux existe aussi dans le judaïsme où il est interdit de couper les cheveux des garçons avant l'âge de trois ans, de la même manière que les fruits sont défendus à la consommation pendant les trois premières années d'un arbre.
La première coupe de cheveux, comme la circoncision, est intimement associée à la vie et à la mort ; cette dualité est apportée par la mère qui, en donnant la vie au nouveau-né, le promet aussi à une mort future.

L'ÉPHÉBIE, UNE PÉRIODE DE TRANSITION

À l'origine, les éphèbes ne sont pas, comme le terme l'indique aujourd'hui, des jeunes hommes d'une grande beauté. Dans le monde grec antique, un éphèbe est un jeune homme qui suit une formation civique et militaire. L'éphébie est une période de transition entre l'enfance et le droit à participer à la vie sociale de la cité.
La première coupe de cheveux permet à l'éphèbe athénien d'accéder à l'âge viril. À seize ans, les Athéniens sacrifient leur chevelure et attendent un an avant d'être admis dans la phratrie ; pendant cette période, l'éphèbe vit à l'écart des autres jeunes gens avant d'être définitivement introduit dans son groupe social.
Le jeune citoyen a le devoir de se marier et/ou d'entrer dans l'armée ou dans la force navale. Tant qu'une de ces deux conditions n'est pas remplie, le jeune homme se trouve dans une situation imprécise. Il fait partie de la cité sans en faire vraiment partie.

"QUAND JE FUS CIRCONCIS EN MÊME TEMPS QUE MES HOMMES"

Le texte figurant sur la stèle de Naga-ed-Der en Haute-Égypte commence par les paroles d'un chef de clan : "Quand je fus circoncis en même temps que mes hommes." Rien ne dit si les cent vingt guerriers de ce clan égyptien furent aussi circoncis ou s'ils ont simplement servi de témoins au rite accompli par leur chef. S'agit-il d'un rite de passage destiné à se protéger de la mort sur les champs de bataille, d'un rite légitimant le statut de chef du clan ou encore d'un rite d'alliance, un serment de fidélité entre les hommes du clan ? La circoncision collective est une pratique répandue. Les **Bédouins** organisent des circoncisions collectives tous les deux ans. Au sud de l'Afrique, la circoncision pratiquée chez les Bassoutos et les Béchouanans est effectuée tous les cinq ou six ans et revêt une telle importance que ces tribus rythment leur histoire d'après les cérémonies de circoncision, comme autrefois les Grecs le faisaient avec les Olympiades. Cet environnement culturel rappelle la circoncision collective des Hébreux entrant en **Canaan**, la veille de la fête de **Pessah**, célébration de la Pâque.

La circoncision n'est pas réservée qu'au judaïsme

Répandue au Proche-Orient ancien, pratiquée en Afrique sub-saharienne, connue en Amérique du Sud comme en Australie, la circoncision n'est pas réservée au judaïsme ni à l'islam. Certes, les motivations pour ce rite sont différentes selon les cultures, mais quelles qu'elles soient, la circoncision reste d'abord un rite de passage. Selon les civilisations, elle est effectuée à des âges différents.

LES HOMMES D'IMERINA, AU NORD DE MADAGASCAR, METTENT AU MONDE LEURS FILS À TRAVERS UN RITE DE CIRCONCISION

La création de la vie n'apparaît pas comme la conséquence des rapports sexuels. Il faut la participation de forces supérieures, divinités ou esprits, pour procréer. Le huitième jour de la naissance de l'enfant, fille ou garçon, la mère effectue sa première sortie. Le nouveau-né n'est pas encore un être humain membre de la société, mais une "chose", jusqu'à ce que soit effectuée sa première coupe de cheveux, trois à cinq mois après sa naissance et qu'il reçoive

son nom. Mais pour les garçons, reste le rituel de la circoncision. Cette fête se déroule à date fixe une fois tous les sept ans. Le "circonciseur" est nommé "père d'enfant", et le terme qui indique la circoncision se traduit par "couper le cordon ombilical". N'est-ce pas ici une façon pour l'homme de revendiquer la mise au monde de ce fils ?

LA SECONDE CIRCONCISION INITIATIQUE DANS LES TRIBUS DII DU CAMEROUN

Un roi dii est circoncis une deuxième fois, d'abord pour indiquer son accession à un niveau d'initiation plus élevé que les autres hommes. La circoncision, en particulier des fils de chefs régnants, est exigée chez les Dii pour déplacer un village autour d'une nouvelle place consacrée par la circoncision. En second lieu, la deuxième circoncision du chef dii garantit la prospérité des récoltes, non par le pouvoir du roi régnant, mais par le lien établi avec ses prédécesseurs. Chez les Dii comme dans les textes bibliques, il s'agit bien de la fertilité de la terre et du lien tissé entre les générations, des pères et de leurs descendants. Dans le monde islamique, les Malais qui ne sont pas circoncis dans leur pays selon la façon prescrite par la loi religieuse subissent une seconde fois l'opération à l'occasion d'un pèlerinage à **Djedda**.

LA CIRCONCISION COLLECTIVE DES HÉBREUX : UN RITE DE PASSAGE VERS LA TERRE PROMISE

Selon le récit biblique consacré à **Josué**, successeur de Moïse, les Hébreux, après avoir erré dans le désert durant quarante ans, accèdent enfin à la Terre promise. Mais avant d'y entrer, Josué exige de tous les hommes, quel que soit leur âge, d'accomplir un rite de circoncision, la première pour certains, la seconde pour d'autres. Sommes-nous en présence d'un rituel d'affranchissement, de rédemption et de régénérescence après l'Exode d'Égypte ? La circoncision collective conduite par Josué sur tous les hommes de son peuple reflète aussi une préoccupation partagée par le monde proche-oriental : la fertilité du clan à travers un mariage sacré entre le peuple et sa terre.

QU'EST-CE QU'UN RITE ?

Il n'y a pas de religion sans rites pour la perpétuer.

La pensée religieuse naît probablement avec l'invention de signes capables d'agir sur le fonctionnement de l'univers, la fertilité des champs, la reproduction du bétail, le renouveau du printemps, l'arrivée de la pluie ou encore la grossesse des femmes. Ensuite s'organisent les rites, indispensables pour transmettre le secret des signes. Les mythes légitiment les signes et les rites par des récits mêlant symboles et Histoire. Enfin apparaissent les religions qui organisent les relations entre ces éléments. Le mot "rite" est probablement issu du sanskrit *rita* qui désigne la participation des hommes à l'organisation de l'univers, à l'équilibre des forces cosmiques et au contrôle du chaos primordial qui menace leur survie. Le rite a pour mission d'ouvrir des voies de communication avec le divin. Tout rite résulte d'un récit mythique. L'agneau sacrifié la veille de la Pâque juive préserve la vie des Hébreux alors que Yahvé, le dieu biblique, fait descendre l'ange de la mort sur les premiers-nés d'Égypte.

La consommation de l'agneau pascal deviendra un rite lié à la célébration de la Pâque, avec pour mission de garantir la survie du peuple à travers l'arrivée du printemps. Selon la pensée chrétienne, Jésus sera "sacrifié" la veille de la célébration de Pâques. À l'image du sacrifice de l'agneau pascal pour les Hébreux, la crucifixion de Jésus aura pour effet sa résurrection et la rédemption des hommes. N'oublions pas que sacrifier n'est pas tuer, car l'homme ou l'animal sacrifié lors d'un rite est appelé à une vie éternelle.

La répétition collective des rites est le moyen de renouveler la puissance vitale d'une personne ou d'un peuple. Il s'agit, à travers eux, de renouveler perpétuellement le cosmos. L'homme espère ainsi contrôler le cours du temps et se régénérer. Le rite est l'acte magique capable de rattacher l'homme au temps primordial de la création du monde. Ce retour perpétuel au temps des origines remplace le temps qui passe par le temps qui vient. Sans les rites, il n'y aurait pas d'espoir de renouvellement périodique de la vie.

Les rites de passage se perpétuent

Les rites de passage ancestraux se maintiennent dans notre société contemporaine : circoncision au huitième jour de la naissance et bain purificateur pour les futures mariées, pour les juifs ; baptême et communion pour les **catholiques**, et pèlerinage à La Mecque pour les **musulmans**. D'autres rites, qui se traduisent par de véritables mutilations génitales, perdurent malgré nos efforts pour les faire disparaître, comme l'excision des filles (répandue notamment en Afrique), l'infibulation, c'est-à-dire la fermeture du sexe d'adolescentes prépubères, ou encore la subincision pratiquée par les aborigènes d'Australie pour ouvrir chez l'homme l'apparence d'un sexe féminin.

Les sociétés contemporaines créent inévitablement leurs propres rites de passage au fur et à mesure de leur édification. Il ne suffit toujours pas de naître pour faire partie de la société ; de nombreux rites de passage contribuent à l'introduction d'un individu dans la société et à sa reconnaissance comme un de ses membres.

Les rites de passage aujourd'hui

L'école maternelle poursuit le rôle maternel après la fin de l'allaitement. L'école primaire familiarise l'enfant avec la société. Le collège légitime son entrée dans la société dont il est reconnu digne. Puis vient le lycée, du grec *lukos* et du latin *lyciscus*, qui désignent un chien-loup (un loup civilisé comme devrait l'être le lycéen qui vient de passer sa puberté).

ÉCOLE

L'université fait office de rite de passage de l'adolescence à l'âge adulte, créant entre les étudiants des liens de "fraternité" autour de regroupements générationnels.

La pratique du bizutage, désormais interdite en France, est l'héritage de rites de passage générationnels ancestraux, des épreuves physiques supposées permettre l'accès à la collectivité, comme à Madagascar où, à l'occasion du Sambrata (cérémonie hivernale célébrée tous les sept ans), les jeunes garçons sont chargés de rapporter un bol d'eau sacrée de la rivière sans en renverser une goutte. D'autres jeunes gens pourchassent les porteurs d'eau pour les empêcher de rapporter le précieux chargement au village. Si l'eau est renversée, le garçon doit retourner à la rivière autant de fois qu'il sera nécessaire.

Pour les jeunes gens, l'acte de faire grève peut être considéré comme un véritable rite d'éveil à la conscience politique et au droit de participer à la vie de la société. De même, le rassemblement autour du "totem-DJ" chaque fin de semaine peut également être considéré comme un rite de passage de la puberté à l'âge adulte. Le tatouage et le piercing n'innovent pas vraiment non plus puisqu'ils reproduisent des rites de passage vieux de dix mille ans.

L'humanité,
un destin commun...
plusieurs versions

Les créations du monde

L'origine de la vie est le premier mystère que les hommes ont cherché à comprendre. Qui a accroché les étoiles dans le ciel ? Qu'est-ce qui fait que la Lune brille la nuit ? Quelle puissance céleste fait tomber la pluie ? D'où vient l'homme ? Quel est son rôle dans l'univers ? Autant de questions qui vont structurer la pensée humaine et organiser la vie en société. Il est naturel et inévitable que chaque religion, chaque système de pensée propose sa vision de la création du monde. Néanmoins, même si les mythes de la création semblent différents les uns des autres, ils apportent des réponses très similaires, indiquant le caractère "familial" de chaque croyance.

La création du monde est la création par excellence. Tout mythe de l'origine est le reflet d'un nouveau départ pour la société après un événement extraordinaire, comme une catastrophe climatique, une guerre perdue ou la fin d'une épidémie. Les créations du monde sont le récit de la recréation d'un monde, souvent limité à une région ou à un peuple. Ces mythes font l'objet de renouvellements selon les circonstances.

La création du monde est une sorte de culte du commencement, dont le rituel se traduit par la tentation permanente de revenir en arrière, à la reconquête du temps originel perdu, de l'instant unique où la mort n'existait pas encore puisque la vie n'était pas encore définie. Revenir au jardin de la Création ou répéter chaque année les fêtes de printemps répondent à cette même exigence de réactualiser perpétuellement le commencement absolu. Les mythes de la création

du monde serviront
de véritables modèles à toute
autre forme de création
humaine. La création d'un
monde initie les structures
mêmes d'une société,
notamment dans les relations
entre hommes et femmes,
en matière de sexualité,
de reproduction et de parentalité.

C'est quoi, un mythe ?

Le mythe est un récit qui
s'inscrit dans un temps antérieur
au temps de l'Histoire. Le mythe
est un langage indispensable
pour véhiculer à travers
les générations une explication
de l'organisation de l'univers
et de la place de l'homme
dans cet univers. Il a valeur
d'exemple : il sert d'instrument
de mesure des actions humaines.

Le terme "mythe", issu du grec
muthos, révèle l'importance
de l'éloquence, d'une façon de
raconter capable de convaincre,
de persuader et de dire la vérité.
Le mythe est l'expression
d'un projet pour le monde,
un "conte qui raconte la vérité",
projetant un récit dans
une dimension supérieure
à l'homme, faisant entrer celui-
ci dans un espace surnaturel
où se croisent la réalité
quotidienne des hommes
et l'irréel des dieux et des héros.

Les mythes participent non
seulement à la transmission
d'une mémoire collective
mais aussi à la démonstration
d'une pensée religieuse. Le récit
mythologique de Moïse séparant
les eaux de la mer Rouge pour
laisser passer les Hébreux
fuyant l'Égypte, celui d'Homère
retraçant la guerre de Troie
et les exploits de ses héros
Achille et Hector, le duel
biblique entre David armé d'une
simple fronde et l'invincible
géant philistin Goliath, la quête
héroïque de l'Assyrien
Gilgamesh à la recherche
de la plante de l'immortalité,
celle des chevaliers de la Table
ronde traquant le Graal,
instrument de la vie éternelle,
le combat de saint Georges
et du Dragon sont autant
de récits qui montrent que,
s'il peut exister des mythes

sans religions, il ne peut exister de religion sans mythe.

À Sumer, la première théorie sur la création du monde

Trois millénaires avant notre ère, les Sumériens mettent au point un système de pensée pour tenter de répondre à la question de la naissance de l'univers et de l'humanité. Ces spéculations, relayées par des mythes poétiques, influenceront une grande partie du Proche-Orient ancien. Les Sumériens avaient l'avantage de ne pas être victimes d'*a priori* religieux ; leur démarche spirituelle était profondément intuitive et non le résultat d'une réinterprétation de mythes antérieurs. À ce titre, la création du monde vue par Sumer, mélange de conceptions philosophiques et de mythologie, est très intéressante.

L'univers sumérien se présente sous la forme d'une sphère. Au centre se trouve la Terre, un disque plat entouré par un océan. Cet océan délimite les frontières du monde, sans doute la mer Méditerranée et le golfe Persique. Au-dessus de l'océan se trouve le ciel. La voûte céleste aux reflets bleuâtres rappelle l'étain nommé en sumérien "métal du ciel". Au-dessous l'"enfer", le pays-sans-retour.

Le premier élément de la création serait l'Océan primordial d'où naît le Ciel-Terre qui engendrera l'univers puis donnera naissance aux dieux. La mythologie sumérienne exprime ce processus de création originelle en établissant que l'Océan primordial aurait éternellement existé, sans avoir eu le besoin d'être créé. L'Océan engendrera la Montagne cosmique, un mélange du ciel et de la terre. Au moment de la séparation du ciel et de la terre naissent An, le dieu du ciel, et Ki, la déesse de la terre. De leur union naîtra le dieu de l'air, Enlil. Enlil s'unira avec sa mère Ki pour créer l'homme, les animaux, les arbres et les plantes. Pour les Sumériens, le ciel, la terre, l'air et l'eau étaient donc des dieux. Invisibles aux mortels, ces dieux étaient censés contrôler et guider l'univers. Parce qu'immortels, ils pouvaient garantir la perpétuation de la vie et le bon fonctionnement de la nature.

La civilisation que l'on a nommée sumérienne n'est pas cantonnée au pays de Sumer, c'est-à-dire la basse Mésopotamie. Le pays d'Akkad (future Babylonie), l'**Assyrie** et l'est de la haute Syrie font aussi partie de cette civilisation vers le IVᵉ millénaire.

Mythologie grecque : au commencement, une colombe et un serpent

La mythologie de la Grèce archaïque est un exemple de l'interaction entre les cultures méditerranéennes. Le mythe de la création du monde s'y exprime à travers des symboliques communes comme la colombe et le serpent.

Il y a 6 000 ans, des peuples s'installent en Grèce continentale, venant du Proche-Orient, sans doute de la région de Canaan (aujourd'hui à cheval sur Israël, le Liban et la Syrie). Ils apporteront avec eux les prémices du patriarcat et les symboliques de leur culture néolithique. Il n'existe alors ni dieux ni prêtres, mais seulement une déesse universelle et ses prêtresses. Le rôle de l'homme dans le cycle de la création de la vie n'étant pas encore connu, le mythe de la création du monde commence avec la "déesse de toutes choses", Eurynomé, qui naît du Chaos et marche sur les vagues. La déesse Eurynomé devient mère sans intervention masculine. Même le serpent naîtra du vent du nord. Métamorphosée en colombe, la déesse pond alors l'œuf primordial et universel. Le serpent s'enroule sept fois autour de l'œuf jusqu'à le faire éclore et libérer le Soleil, la Lune et les étoiles, la Terre, ses montagnes, ses arbres, ses plantes et toutes les créatures vivantes. Le serpent et la colombe s'installent sur le mont Olympe (future demeure des dieux et déesses de la mythologie grecque : Zeus, Héra, Arès, Aphrodite, Déméter...).

Mais le couple ne durera pas. Le serpent revendique sa part dans la création du monde. Alors, Eurynomé lui écrase la tête et l'envoie dans le monde souterrain. Puis la déesse créera les planètes et les Titans qui les dirigeront. Le premier homme, nommé Pélasgos, naîtra directement de la terre où son ancêtre le serpent Ophion s'est réfugié. Comment ignorer que le serpent devra s'enrouler sept fois autour de l'œuf universel pour le faire éclore, comme il faudra sept jours au dieu biblique pour achever la création du monde ?

Le mythe olympien de la création du monde

Hésiode rapporte que de la nuit et de la mort naquit l'amour. La beauté organise le chaos du monde. L'amour enfante la lumière, suivra la création de la Terre, **Gaïa**, mère universelle. Selon le mythe patriarcal en vigueur au panthéon de l'Olympe sur lequel règne Zeus, c'est la Terre mère, née du Chaos (le Néant, un vide où règnent les ténèbres) qui mit au monde le dieu Ouranos. C'est lui qui, en faisant tomber une pluie fertile, donnera naissance aux arbres, aux fleurs, aux animaux, aux oiseaux ainsi qu'aux mers et aux fleuves. Il donnera naissance à une première race d'hommes, des géants à moitié humains, puis des cyclopes. Ouranos incarne le dieu du ciel, le Père originel marié avec la Terre mère.

D'autres mythes grecs avancent que de l'union du Chaos et de l'Obscurité naquirent le jour, la nuit et l'air. Une métaphore qui n'est pas sans rappeler que le dieu biblique sépara la lumière des ténèbres, sépara les eaux du ciel de la terre, et créa ainsi le premier jour et la première nuit.

Les douze dieux de l'Olympe

Cronos ravit le pouvoir suprême à son père Ouranos. Mais la Terre mère lui prédit qu'à son tour un de ses fils le détrônera. Alors chaque année, Cronos dévore les enfants que lui donne son épouse Rhéa. Furieuse, Rhéa parvient à dissimuler la naissance de Zeus. Une fois adulte, Zeus fait boire à Cronos une potion qui lui fait vomir ses frères Hadès et Poséidon, et ses sœurs Héra, Hestia et Déméter. Les six divinités mèneront une guerre de six ans contre Cronos et ses Titans. Vainqueur, Zeus fonde

le panthéon d'Olympie. Le dieu des dieux, maître du ciel et de la foudre, épousera sa sœur jumelle Héra. Héphaïstos, le forgeron des dieux, épousera Aphrodite, déesse à la fois de l'amour et de la mort-dans-la-vie. Hadès régnera sur le monde souterrain, Poséidon sur les mers et les océans, Hestia, la déesse virginale, veillera sur la paix des foyers et Déméter sur les champs de blé. Athéna, déesse de la stratégie guerrière, née de la tête de Zeus sans l'intervention d'une mère, enseignera les arts féminins comme le secret de l'art de tisser et de filer, la poterie et la charrue. Apollon, rempart contre la barbarie, deviendra le dieu de la civilisation, de la lumière, de l'astronomie et de toutes les sciences. Artémis détiendra le pouvoir de répandre des épidémies grâce à ses flèches, et de les guérir, et Arès sera l'impitoyable seigneur de la guerre. L'astucieux Hermès deviendra le messager des dieux.

Le poème babylonien de la création

Vers le XIᵉ siècle avant notre ère, se répand dans l'Empire babylonien un poème vieux de mille ans, issu de croyances sumériennes et **akkadiennes**. Cette vision mésopotamienne de la création du monde débute de la même manière que la **Genèse** biblique : "Au commencement… "

Ce nouveau mythe exalte la puissance du dieu **Marduk**, divinité protectrice de Babylone, pour le substituer à **Enlil** (le Seigneur), gardien des destinées, dieu sumérien du vent et de l'orage, né de l'union de la terre et du ciel, et protecteur de la cité de **Nippur**.

Vers le XVIIIe siècle, Marduk est reconnu par les prêtres et le peuple de Babylone comme souverain absolu. Cette révolution religieuse s'inscrit dans la spiritualité sumérienne qui, depuis deux millénaires, relie des êtres "surnaturels" au fonctionnement de la nature et à l'agriculture.
Alors que ni le ciel, ni la terre, ni même les dieux n'existaient, flottaient dans une immensité immobile les Eaux primordiales où se mélangeaient **Apsû** et **Tiamat**, les eaux douces et les eaux salées. De cet accouplement entre la femelle Tiamat et son mâle Apsû émergeront des divinités censées avoir fait partie du cosmos avant de prendre forme.
De couple en couple divin, la dynastie des dieux se perfectionne. **Ea**, le dieu des eaux souterraines, réside dans les eaux douces d'Apsû et tuera Tiamat. Le fils unique d'Ea, Marduk, dont le nom signifie "Jeune taureau du soleil", apparaît alors comme l'aboutissement de l'évolution des dieux. Désormais Marduk sera le plus parfait, le plus brillant, le plus puissant.

Le *Poème de la création* fait abstraction de la création du monde par le dieu **Anu** qui engendra le ciel et Ea, la terre, pour privilégier le rôle de Marduk. Celui-ci, voguant sur un radeau à la surface de l'Eau primordiale, créera la poussière. Il triomphera sans peine de Tiamat et de son cadavre fera la voûte céleste, puis de la poussière il créera la Terre. À son père Ea, Marduk laissera le soin de créer l'humanité. Le *Poème de la création*, l'*Enouma Elish*, sera récité chaque année à l'occasion des fêtes de nouvel an à Babylone dans la cité sacrée de Marduk, à l'ombre de la célèbre tour de Babel, *Etemenanki* ou le "Temple de la fondation du ciel et de la terre".

En Mésopotamie, les hommes sont les esclaves des dieux

La création de l'homme dans la mythologie mésopotamienne n'est pas l'aboutissement de la création du monde. L'homme n'est qu'un travailleur au service de ses dieux. Il est chargé de prendre soin de leurs demeures terrestres, les temples, de vêtir leurs effigies et de les nourrir à travers des sacrifices. Les dieux d'Ougarit en Syrie du Nord sont décrits comme affamés. Il est normal que, pour satisfaire leur faim divine, l'homme se soit mis à l'agriculture. Il ne saurait accéder à la civilisation sans l'aide et la permission des dieux. Sans eux, les hommes ne connaîtraient ni le tissage, ni l'art de la chasse, ni le feu et les outils indispensables à leur survie.

Le mythe mésopotamien de la création de l'homme ne fait que justifier son destin tragique, celui de devoir travailler pour survivre dans un environnement hostile, sans espoir que son sort s'améliore un jour. Une vision opposée à celle de la Bible pour laquelle la création de l'homme à l'image de Dieu est l'aboutissement du grand dessein divin, donnant un sens à la vie et un espoir pour l'après-vie.

Deux Genèses pour une seule Bible

Deux récits différents rapportent la création du monde. Genèse 1 paraît la version la plus récente, sans doute rédigée bien après l'exil des Juifs de Jérusalem à Babylone par Nabuchodonosor, alors que Genèse 2, la version la plus ancienne, répond à une interprétation reprenant le culte d'un dieu Yahvé créateur. Les deux récits de la création s'ouvrent sur le terme hébreu *Bereshit* : "Au commencement…" ou encore "En tête…".

Genèse 1 privilégie la création extraordinaire de l'univers et Genèse 2 privilégie la création de l'humanité. Ces deux récits complémentaires vont définir les règles fondamentales des relations de l'homme avec son environnement, son prochain et son destin. Pour comprendre ces deux récits, il faut se rappeler que le nom "Adam" est issu de l'hébreu *adamah* qui désigne la terre.

POURQUOI DEUX CRÉATIONS DIFFÉRENTES DE LA FEMME ?

En Genèse 1 : "Dieu créa l'homme à son image, à l'image de Dieu il les créa, homme et femme il les créa."

Il n'est pas question de différence entre l'homme et la femme. Tous deux sont les faces d'une même humanité. L'homme et la femme étant le reflet de Dieu, ces deux aspects de l'humanité sont égaux, complémentaires et indissociables. Ce récit de la création de l'humanité paraît s'inscrire dans l'héritage d'une société pré-agricole, cueillette et chasse obligeant à une répartition des rôles mais pas à une forme de hiérarchie sexuée.

En Genèse 2, l'être masculin est créé, puis Dieu envisage de lui fournir une compagne : "Il n'est pas bon que l'homme soit seul. Il faut que je lui fasse une aide qui lui soit assortie." Une fois Adam endormi, Dieu prélève une de ses côtes et en façonne une femme. Désormais, c'est la création d'un premier être masculin qui est fondamentale. La femme n'est plus issue de Dieu mais issue de l'homme et surtout créée pour lui. Elle serait donc moins "sainte", moins proche du Dieu créateur. Cette vision de la création de l'humanité, bien inégale et certainement rédigée par un homme, est sans doute fondée sur des valeurs issues de l'agriculture et d'une répartition sexuée des responsabilités sociales.

LES ERREURS DE TRADUCTION ONT LA VIE DURE !

Nombre de textes religieux ont fait l'objet de multiples traductions et sont donc soumis à autant de risques d'erreurs d'interprétation. Le récit de Genèse 2 avance que la femme fut créée de la côte du premier homme. Mais cette interprétation du texte découle de la traduction de l'hébreu *tsêla* qui ne signifie pas côte mais "côté" (comme dans "à côté"). Le mal sera fait, puisque beaucoup ont tendance à croire vrai tout ce qui est répété...

Il en est de même pour l'épisode relatant le péché originel : Ève persuade Adam de goûter au fruit interdit de l'arbre de la connaissance du bien et du mal. Ce fruit n'est pas une pomme, comme les textes successifs l'avancent. Mais à force d'être répétée, cette erreur de traduction finira de convaincre que l'arbre planté dans le jardin de la Création est un pommier. L'erreur de saint Jérôme, traducteur des textes bibliques au Vᵉ siècle, est d'avoir confondu le terme latin *malum* "pomme" avec le terme *malus* "mal". En fait le pommier en question était sans doute un figuier.

L'objectif de la création de l'univers serait-il la création de l'homme ?

La Genèse est centrée sur l'homme et son devenir, au contraire des mythologies mésopotamiennes centrées sur les dieux. Adam n'est pas l'esclave de Yahvé, il est son représentant sur terre. Les étapes de la création apparaissent comme la mise en place des ingrédients indispensables à la venue de l'homme. Le dieu biblique rend ainsi le monde habitable pour l'humanité qu'il s'apprête à créer.

Le dieu biblique ne crée pas tel ou tel peuple, il crée l'humanité tout entière à partir d'un premier être humain. L'émergence d'une logique monothéiste implique l'existence d'une seule humanité, où tous les hommes sont sur un pied d'égalité. Il ne s'agit donc pas de la création d'une race, d'une ethnie, d'un peuple ou d'une nation de fidèles. Dieu crée l'humanité tout entière à sa ressemblance. La diversité se reflète dans son créateur. Selon la Genèse, le Dieu créateur s'exprime toujours au singulier :

"Dieu dit" ou "Dieu fait" et, lors de la création de l'humanité, c'est le pluriel qui est utilisé : "Faisons l'homme à notre image, à notre ressemblance…"

Si le monde a été créé pour l'homme, la responsabilité de l'homme pour le monde est fondamentale. Contrairement au pessimisme du monde mésopotamien, celui créé par les Genèses bibliques est optimiste. La nature n'est pas maudite et l'homme n'est pas condamné à une souffrance éternelle. Le monde qui lui est confié est le sien. Reste à l'homme à créer sa propre histoire dans le respect des lois divines.

LE REPOS DU SEPTIÈME JOUR ORGANISE LE TEMPS

Le septième jour, le Dieu biblique se repose ; c'est l'annonce du repos du septième jour, le shabbat du judaïsme. Mais ce calendrier divin est l'écho de l'organisation israélite de la semaine de travail en vigueur au moment de la rédaction. Un repos du septième jour qui ressemble au "chabattou" babylonien, le respect des jours néfastes (les septième, quatorzième, vingt et unième et vingt-huitième jours du mois), pendant lesquels il ne faut rien entreprendre. Cette coutume a pu être rapportée en Judée par les anciens exilés à Babylone et représente une différence fondamentale avec la décade égyptienne organisée autour de neuf jours de travail suivis d'un jour de repos.
Le shabbat biblique apparaît donc comme une forme de progrès social en ajoutant une journée de repos supplémentaires à tous ceux qui travaillent : ouvriers, artisans et esclaves. Ce rythme est imposé aussi par la nécessité pour les forgerons d'éteindre leur four une fois par semaine.

La Genèse est inspirée des mythes antérieurs de la région

Comme dans la plupart des mythes de la création, le Dieu biblique crée d'abord le ciel et la terre, le souffle divin (la *ruah*) tournoyant au-dessus des eaux, à l'image du dieu mésopotamien Marduk voguant sur son radeau sur les Eaux primordiales. C'est des ténèbres que le Dieu biblique fera jaillir la lumière comme dans les mythes grecs. Puis les eaux sont séparées de la terre. Au quatrième jour sont créés les astres et les étoiles. Le cinquième jour naissent les oiseaux et les poissons. Le sixième, après avoir créé les animaux, le Dieu biblique crée l'homme à son image, "masculin féminin". La notion de dualité et d'égalité entre l'homme et la femme est donc fondatrice d'une humanité dont les êtres sont complémentaires et non soumis l'un à l'autre.

Les Aztèques : le monde commence par un sacrifice

Les Aztèques, comme les Romains, incluaient à leur panthéon les divinités et les mythes des populations vaincues. Au fur et à mesure de l'annexion des cultes étrangers, la religion aztèque devient d'une extrême complexité. Du coup, la centralisation religieuse et la hiérarchie des dieux ne sont pas évidentes et sont rendues encore plus difficiles par l'invasion des Espagnols au XVIᵉ siècle. Le mythe aztèque de la création du monde apparaît comme une succession de sacrifices et de catastrophes. La création du monde commence par le sacrifice volontaire du dieu Nanahuatzin qui se jette dans un bûcher, expression sans doute d'un rite de purification, puisque cette divinité est en rapport avec les maladies (et notamment la syphilis). Le dieu Quetzalcoatl, inventeur de la civilisation et de tous les arts, personnifié par un serpent-oiseau, sacrifiera son fils qui se métamorphosera en soleil. Quatre âges solaires se succèdent, chacun s'achevant sur un cataclysme. À la fin

de la première ère, les hommes
sont décimés par les jaguars.
À la fin de la deuxième,
un vent épouvantable dévaste
le monde et les hommes
se transforment en singes.
La troisième ère s'achève dans
une pluie de feu et la quatrième
dans un déluge. Quant à notre
ère, elle devrait, selon
les Aztèques, se finir dans
des tremblements de terre…

POURQUOI
TANT DE VIOLENCE ?

Huitzilopochtli, le dieu-aigle
tribal des Aztèques, conçu
par la vierge-mère Coatlicue,
incarne une forme de soleil.
En effet, quand on lui sacrifie
des victimes, les prêtres
montrent le cœur arraché
de ces dernières au soleil, avant
de les placer dans un récipient
de pierre.
Huitzilopochtli ne sera pas
le seul à exiger des sacrifices
humains. Xipe, un dieu
de la guerre et de l'agriculture,
reçoit les vaincus en offrande.
Ils sont écorchés vifs
et leur peau est revêtue par
les vainqueurs comme
un trophée. L'écorchement
a un rapport avec l'épi de maïs
enfermé dans son enveloppe
comme dans la peau
de la victime sacrificielle.
Les Aztèques demandent aussi
à Xipe, surnommé le "Buveur
nocturne", de faire tomber
la pluie. Les victimes sont alors
percées de flèches et leur sang
coule vers la terre comme
devrait le faire la pluie espérée.
Chaque mois comporte une
fête spéciale. Le premier mois,
on sacrifie des enfants ;
le second, on écorche des
victimes pour Xipe, le onzième
mois, on sacrifie une femme
à la terre mère. Les rites
sacrificiels sont d'abord initiés
par les dieux puis imités par
les hommes qui espèrent
obtenir la fertilité de la terre,
le retour du soleil et surtout
la garantie d'un équilibre
cosmique. La vie des Aztèques
est en effet réglée par un
calendrier de divination
aux jours fastes, néfastes
ou neutres.

Chez les Dogons,
la parole créatrice

Les Dogons, une ethnie
d'agriculteurs du Mali, vivent
dans la région d'accès difficile
des falaises de Bandiagara.
La culture des Dogons,
préservée par sa géographie,
n'aura donc subi qu'une faible
influence de l'Islam et reste
marquée par l'animisme.
Les populations d'Afrique
occidentale vouent un véritable
culte au pouvoir de la parole.
Le dieu primordial des Dogons,
Amma, créera le premier
placenta qu'il fécondera par
le verbe.

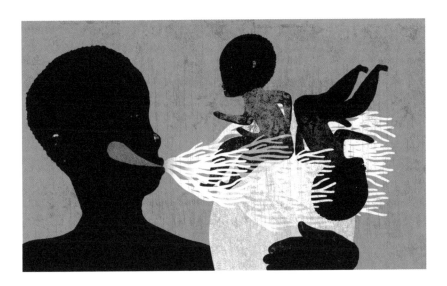

Cette puissance créatrice
de la parole est exprimée dans
la Genèse 1 biblique lorsque
Yahvé nomme la lumière "jour"
et les ténèbres "nuit". Le dieu
égyptien Ptah créera le monde
à Memphis avec sa langue,
alors qu'Atoum à Héliopolis
créera les huit génies
primordiaux en parlant.
Le christianisme n'échappera
pas au pouvoir créateur
du verbe, puisque Marie,
mère de Jésus, sera fécondée
par la parole divine.

L'œuf cosmique fécondé
par Amma chez les Dogons
donnera naissance
à des jumeaux androgynes,
l'un bon, l'autre mauvais.
Le mauvais jumeau commettra
un inceste avec la terre,
et le bon s'offrira en sacrifice
de purification. Amma
l'émasculera et le coupera

en morceaux.
Ce mythe rejoint celui
de l'Égyptien **Osiris**, de Caïn
et Abel et celui du Messie
biblique, puisque ressuscité,
devenu sauveur du monde,
le bon fils recevra la parole
en récompense. Le dieu
de l'eau, Nommo, utilisera
ce pouvoir pour faire des êtres
humains à partir des quatre
couples de jumeaux venus
sur terre dans une arche. Dotés
à leur tour de la parole issue
de la lumière des rayons
du soleil, ils organiseront
la société dogon.
L'autre jumeau incestueux,
le chacal surnommé Renard
pâle dans la cosmogonie
dogon, ne possédera qu'une
parole intérieure, silencieuse.
Cette parole volée sera
l'inconscient des hommes,
le monde incontrôlable
des songes, écho de la mort.

L'Égypte, à chaque dieu son monde

La religion égyptienne est le résultat d'une agrégation de divinités locales. À la période proto-historique, le pays est constitué de petites principautés : le moindre village vénère son dieu local et unique. Le développement des cités verra l'avènement de dieux dominants. Par la suite, l'Égypte finira par se constituer en deux royaumes, la Basse-Égypte et la Haute-Égypte avec deux dieux principaux : **Horus** pour la première et **Seth** pour la seconde. Quatre millénaires avant notre ère, les deux royaumes sont unifiés autour du dieu Horus. Le culte des centaines de divinités locales continuera et il n'existera jamais d'unité de foi religieuse. Naturellement, la religion égyptienne connaîtra de multiples versions de la création du monde. Le dieu **Thot**, maître de la vie et seigneur du temps, aurait conçu le monde par le verbe, alors que le dieu potier Ptah, artisan du monde, sera connu pour avoir façonné des hommes à partir de la glaise. Le dieu Khnoum, lui aussi potier, aurait façonné les êtres humains avec de l'argile. Il sera reconnu comme le principe permanent qui permet à la semence paternelle de pénétrer dans le corps féminin. Père du monde, Khnoum provoque aussi chaque année les inondations qui fertilisent le Nil. Autant de dieux, autant de versions de la création du monde !

Un dieu obscur crée le monde

Atoum ou **Noum**, à l'origine dieu local sans grande importance, devient par la grâce de théologiens d'**Héliopolis** un dieu à vocation universelle, une divinité puissante dont le nom signifie "total". Il sera considéré comme le créateur du monde. À l'aube du monde règne un chaos inorganisé, un abysse primordial d'eau et de boue contenant tous les germes de la vie. "Celui qui est et qui n'est pas" Atoum prend conscience de sa propre existence et décide de fonder à partir de son esprit tout ce qui existe. Soleil créateur, Atoum devient Atoum-Rê. De son imagination, Atoum-Rê créera les dieux et les hommes. Les hommes naîtront de son œil ou tout simplement en crachant, ou encore des gouttes de sang coulant de la blessure qu'il inflige à son pénis. Quant aux dieux, Atoum-Rê, n'ayant pas de femme, procréera de lui-même un premier couple divin : Tefnet, l'humidité, et Chou, l'air lumineux. De ce couple naîtront Gebn la terre et Nout le ciel. Enfin, du ciel et de la terre seront issus Osiris qui donnera vie au Nil, Isis la déesse de la fertilité, Seth, le désert, et Nephtys, mère d'Anubis. Cette version héliopolitaine de la création du monde triomphera finalement de tous les autres mythes égyptiens.

Les créations du monde égyptien : les mythes oubliés

UNE OIE CRÉE LE MONDE
Du chaos initial et de l'humidité primordiale surgira un monticule de terre où se manifestera la vie, à travers huit serpents et grenouilles. Puis d'un œuf d'oiseau naîtra une oie. Cette oie, symbole solaire, séparera la lumière des ténèbres, et son cri, rompant le silence, créera le monde.

UNE VACHE ET UN LOTUS
Un mythe populaire avance qu'une vache nageant à travers les flots boueux portait sur son dos l'enfant-dieu solaire qui créera le monde. Un autre mythe tout aussi populaire assure qu'avant toute chose c'est un lotus qui jaillit de la boue primordiale, portant entre ses pétales l'enfant-dieu solaire.

NEITH, MÈRE DU MONDE
Déesse primordiale, Neith est considérée comme la mère du monde. Venue à l'existence par sa propre force créatrice, elle est représentée avec une couronne rouge, un bouclier et deux flèches. "Je suis ce qui est, ce qui sera et ce qui a été", annoncent les inscriptions la concernant. Car au-delà d'avoir créé le monde à l'aide de sept paroles, Neith a séparé les sexes et inventé le tissage, devenant donc la maîtresse des destins.

Islam : la création, miroir du divin

La création du monde selon l'islam est issue de traditions préislamiques appuyées sur la Genèse biblique. Néanmoins, le Dieu de l'islam, selon le Coran et les *hadîth*, est un architecte qui a séparé le haut et le bas et édifié sept cieux et sept terres, coloré le monde et ses créatures de teintes différentes. Allah a créé toute chose vivante à partir de l'eau, placé sur terre les montagnes comme des piliers, fait du firmament une voûte protégée et fait se mouvoir les astres. Car le dieu de l'islam a aussi créé le jour et la nuit, et régit le soleil et la lune. Il a placé les étoiles pour que les hommes puissent se diriger et fait descendre la pluie pour qu'ils puissent se désaltérer. Les mulets et les ânes ont été créés pour servir à l'homme de monture ; la pluie ne tombe que pour permettre à ses plantations de germer et les fleuves n'ont d'autre objet que de permettre à l'homme de se diriger. En fait, dans la cosmogonie de l'islam, l'homme, sommet de la création, est l'image la plus perceptible du divin. Le cosmos tout aussi sacré indique le signe indiscutable de la préexistence de Dieu.

Dans l'hindouisme, 7 est le chiffre magique de la création

Si, dans le récit biblique, le monde est créé en six jours, la divinité se reposant le septième, la théorie hindouiste de la création de l'univers est organisée autour du sept. L'œuf de Brahmâ, le *brahmanda*, se serait divisé en sept zones, trois réservées à la terre, l'air et le ciel. Et quatre régions célestes réservées aux dieux. La terre elle-même est aussi constituée de sept continents émergeant de sept mers. L'hindouisme appartient à une tradition religieuse qui s'est développée aux Indes, à travers le **védisme** (entre 1500 et 900 avant J.-C.) puis le **brahmanisme** (entre 900 et 400 avant J.-C.). Brahmâ en est la conscience absolue, l'énergie créatrice jaillie du fameux œuf cosmique, le créateur du monde.

Pour les Mayas, le singe descend de l'homme

Le *Popul Vuh*, l'ancien livre rituel de la religion des Mayas, rapporte les conditions d'un déluge. Il s'agit de l'inondation catastrophique produite lorsque "le cœur du ciel tomba sur la tête des hommes", des pantins faits de terre, de limon et de bois. Les Mayas comme les Aztèques croient à quatre âges successifs de l'humanité, terminés par des cataclysmes. C'est dans un déluge qu'aurait pris fin l'âge précédant le nôtre.

Trois divinités ont participé à la création de la terre, au début du premier âge : Hunahpu, l'un des deux jumeaux héroïques ; Gukumatz, le serpent à plumes ; Huraka, le dieu des ouragans (le mot "ouragan" dérive du nom de ce dieu maya). Le premier homme est conçu avec de la terre, mais les dieux, insatisfaits de leur ouvrage, le détruisent. Il en sera de même pour les hommes fabriqués en bois dont quelques survivants se transformeront en singes. Quant à l'espèce humaine actuelle, elle est faite à base de maïs !

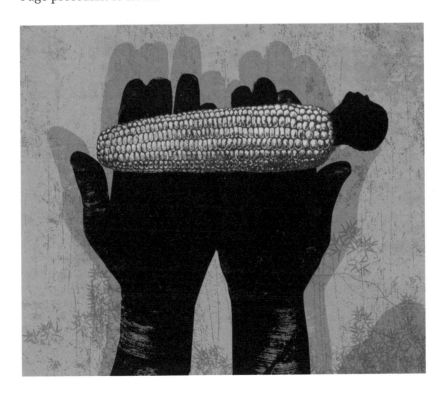

Les Mayas créent le monde et le football

Quelles sont les origines du monde ? Chaque culture s'interroge là-dessus, mais le *Popul Vuh* nous fournit la réponse. Un manuscrit du *Popul Vuh*, datant du XVIᵉ siècle, découvert vers 1850, nous apprend que le jeu de balle méso-américain symbolisait celui de la vie et de la mort, du destin et de la guerre. Ce récit raconte la création du peuple maya quiché, originaire du Guatemala. La première partie de la légende raconte comment le grand créateur a créé le monde à partir d'une mer et d'un ciel originels. Le dieu crée ensuite la vie. Les divinités peuvent alors se nourrir à travers les prières des hommes. Les humains sont considérés comme les chefs-d'œuvre de la création, puisqu'ils peuvent parler et donc prier.

La deuxième partie de la légende raconte les aventures des jumeaux héroïques, Xbalanque et Hunahpu. Avant leur naissance, leur père, Hun Hunahpu, et leur oncle ont engendré le courroux des dieux du monde des ténèbres en jouant bruyamment à leur jeu de balle. Les dieux et les démons les contraignent alors à subir une série d'épreuves, l'une d'elles étant une partie de balle en enfer ! Ils perdent la partie contre l'équipe tricheuse des dieux-démons. Les perdants sont mis à mort. La tête tranchée de Hun Hunahpu engendrera les jumeaux héroïques.

À leur tour, les jumeaux seront contraints de jouer une partie de balle contre l'équipe des dieux-démons. Mais cette fois, les jumeaux se montreront plus malins que les dieux. Après une série de ruses, ils parviendront à tuer un des démons et à vaincre les autres. Une fois l'honneur de leur père et de leur oncle restauré, ils se métamorphoseront en lune et en soleil, afin de protéger leur peuple.

Les terrains de jeu sacrés se retrouvent partout en Méso-Amérique. Le jeu de balle a vraisemblablement eu ses origines au Iᵉʳ millénaire avant J.-C., peut-être dans la vallée de Mexico ; c'était davantage un moyen d'interroger les dieux et de prédire l'avenir qu'un sport. La plupart des joueurs sont des nobles ou des guerriers estimés.

Dans certaines cultures méso-américaines, les joueurs se consacrent entièrement au sport, tandis que dans d'autres cultures on force les prisonniers à y jouer. Certaines cultures sacrifient l'équipe perdante et, chez d'autres, les biens des spectateurs servent de prix pour l'équipe gagnante. Nous ne sommes pas si loin de nos coupes du monde de football contemporaines…

Le déluge,
un mythe
fondateur

Le déluge est le mythe universel par excellence.
Cette catastrophe surnaturelle, fondatrice d'un monde nouveau purifié de ses fautes, définit le cadre – selon les diverses croyances – d'une relation apaisée entre les divinités et les hommes. Le livre de la Genèse, les sources sumériennes et babyloniennes, les mythes grecs ne sont pas les seuls textes à décrire un déluge universel qui aurait fait disparaître toute vie sur terre, excepté quelques êtres choisis pour leurs qualités… mais aussi les poissons indissociables de la symbolique du foisonnement de la vie.

Il existe une centaine de récits du déluge à travers le monde, en Iran, en Inde, en Chine, en Australie ou encore en Amérique du Sud et du Nord. En fait, le déluge tient une place essentielle dans le passage d'une époque mythique vers une époque historique.

C'est une sorte de second récit de la création à partir des éléments sauvés des eaux. L'homme se retrouve ainsi responsable de sa propre existence, la divinité ayant, par cet épisode, renoncé à l'anéantissement de l'humanité. Le cycle de la vie se révélera désormais dans un recommencement perpétuel.

Le déluge a-t-il eu lieu ?

Les traces archéologiques laissent entrevoir l'existence de crues exceptionnelles. Ces montées des eaux, pour les habitants des régions concernées, apparaissaient comme une véritable fin de leur monde. Il n'y aurait pas eu un unique déluge biblique, mais sans doute plusieurs, en des lieux différents, à des époques situées entre 3700 et 2400 avant notre ère.

Des traces de crues
et d'inondations ont été trouvées
en Mésopotamie sur le site
de la cité d'**Our** puis à Kish
dont le souverain était alors
le légendaire Gilgamesh.

Il faut prendre en compte
la nature des fleuves, le Tigre
et l'Euphrate, sujets à des crues
catastrophiques et irrégulières,
à la différence du Nil dont les
crues sont saisonnières. Il suffit
qu'il ait abondamment neigé
sur les monts **Taurus** et **Zagros**
pour que, au moment des
fontes de printemps, les fleuves
sortent de leur lit et inondent
la région trop plate pour freiner
la crue.

Nous savons par exemple que,
au XVIIIe siècle avant notre ère,
sous le règne du roi
Hammourabi en Mésopotamie,
la cité d'**Eshnouna** fut détruite
par une inondation, et que
Babylone, lors des fêtes
de printemps au Ier millénaire
avant J.-C., échappa de justesse
à l'engloutissement. Le mythe
du déluge est donc inspiré
de la réalité et le récit d'un
phénomène fréquent dans
la région.

Il y a douze mille ans, le premier véritable déluge

La fonte des glaciers, survenue
il y a douze mille ans, a sans
doute inscrit dans la mémoire
collective une catastrophe
traumatisante pour l'humanité
et en même temps créatrice
d'un monde nouveau.
Les millions de tonnes
de la calotte arctique envahissent
les plaines, créant des lacs,
des mers et des marais.
Le niveau des océans s'élève
d'une centaine de mètres.
Le Tigre et l'Euphrate sont
inondés, la Manche sépare
désormais l'Angleterre
du continent européen, la mer
Adriatique se forme et chasse
les clans vivant dans la plaine
désormais submergée.
L'archipel de Malte n'est plus
relié à la Sicile et l'Australie
n'est plus reliée à la Nouvelle-
Guinée. Une grande partie
du Canada devient invivable
et le Sahara une plaine fertile.

Ce véritable déluge planétaire oblige l'homme à vivre différemment. Il ne chasse plus les grands animaux, pour la plupart disparus, et se rabat sur du petit gibier. L'organisation spirituelle régissant les relations "magiques" entre l'homme et les animaux se transforme. L'aspect épique et héroïque de la chasse va céder la place à une spiritualité cyclique, organisée autour du rythme des saisons et de l'agriculture. Les humains qui n'ont pas été anéantis par ce "déluge universel" structurent différemment leur société. Il n'est plus nécessaire d'être un large groupe de chasseurs pour attraper le petit gibier. La chasse aux lièvres remplace celle des mammouths. L'économie alimentaire incite les hommes à se rassembler en familles au lieu des larges clans d'antan. C'est donc un modèle socio-religieux qui va naître de ce déluge originel, une nouvelle humanité contée dans les récits mythiques.

Noé et le déluge biblique

Issu d'une tradition orale, rédigé vers le Xe siècle avant notre ère puis remanié quatre siècles plus tard, le récit biblique du déluge décrit le châtiment infligé par Yahvé aux hommes en réponse à leurs transgressions répétées des lois divines. Noé et sa famille seront épargnés en récompense de son obéissance inconditionnelle à Dieu. Cette soumission aveugle sera plus tard illustrée à nouveau dans le récit d'Abraham, prêt à sacrifier son fils Isaac à Yahvé. Réfugié dans l'arche qu'il a construite sur les indications divines, Noé accueillera son épouse, ses trois fils et leurs femmes ainsi qu'un couple mâle et femelle de chaque espèce vivante. Le déluge durera quarante jours et quarante nuits, faisant périr tout ce qui vit sur la terre ferme. Au bout de quarante jours, Noé lâche un corbeau qui, ne trouvant pas de terre ferme, revient vers l'arche.

Noé lâche ensuite une colombe qui elle aussi revient. Sept jours plus tard, Noé renvoie la colombe à la recherche d'une terre sèche. Cette fois la colombe revient avec un rameau d'olivier tout frais dans le bec. La décrue est effective et la végétation a commencé à revivre. Encore sept jours d'attente, et Noé lâche à nouveau la colombe, qui cette fois ne reviendra pas. La terre est prête à accueillir la nouvelle humanité. Dieu ordonne à Noé de quitter l'arche. Une renaissance pour l'humanité dont l'élément de purification est l'eau. Immersions rituelles, bains purificateurs, ablutions et baptême, l'eau restera indissociable de la pensée religieuse et de ses rites.

Pas de déluge sans arche...

Le déluge biblique et la renaissance de l'humanité à travers Noé rappellent la renaissance des Hébreux libérés par Moïse. Le terme hébreu *Tébah* désigne à la fois l'arche de Noé et le berceau dans lequel la fille de Pharaon recueille le petit Moïse flottant sur le Nil, "sauvé des eaux". Dans l'usage contemporain, la *Tébah*, c'est l'"Arche sainte" dans laquelle sont conservés les rouleaux de la Torah. Du déluge sumérien, babylonien, biblique ou, dans le mythe grec du déluge de **Deucalion**, les arches en forme de croissant de lune sont toutes construites en bois d'acacia, comme la barque funèbre du dieu égyptien de la fertilité **Osiris**, embarcation indispensable à la traversée du Nil, première étape du long voyage des morts vers leur destinée céleste. La forme en croissant de lune indique la célébration de la nouvelle lune d'automne destinée à susciter les pluies d'hiver. C'est également à bord d'une arche que **Manou** sauve le poisson représentant Vishnou.

Si l'arche d'Alliance biblique est faite de bois d'acacia, il en sera de même pour la couronne d'épines qui coiffera Jésus sur sa croix. L'acacia exprime le pouvoir religieux du soleil à renaître chaque matin de la terre après avoir disparu chaque crépuscule précédent.

... sans colombe...

Après un déluge de six jours et six nuits, le Noé babylonien Ut-napishtim lâchera le septième jour une colombe, une hirondelle puis un corbeau. La colombe, dont le nom sumérien est *Iahu*, apparaît

comme l'origine du nom
de dieu biblique *Yahvé*.
La colombe joue d'ailleurs
un rôle essentiel dans l'annonce
à Noé de la fin du déluge
et du recommencement
de la vie. C'est à une colombe
que Noé confie la mission
de s'assurer de la décrue
des eaux. La mythologie
grecque rapporte que c'est
une colombe que Deucalion,
le Noé grec, envoya faire un vol
de reconnaissance en quête
d'une terre ferme.

Le christianisme, à son tour,
verra dans la colombe
l'incarnation du Saint-Esprit
qui descend sur Jésus lors
de son baptême dans les eaux
du Jourdain. Au temple
de Jérusalem, la colombe sera
le seul oiseau à s'offrir en
sacrifice de purification.

... et sans vin...

Le vin est mentionné pour
la première fois dans la Bible
à l'occasion du récit du déluge.
Une fois sorti de l'arche, Noé
commence à planter une vigne.
Un acte de cultivateur
qui implique une volonté
de sédentarisation et de prise
de propriété de la terre.
Le mythe grec du déluge
n'attribue pas directement
l'invention de la vigne
à Deucalion. Néanmoins,

Deucalion est le père d'**Ariane**,
qui sera mère de **Dionysos**,
divinité à laquelle sera voué
un culte du vin. Le mythe
du déluge est aussi l'écho
des fêtes babyloniennes
du printemps, fêtes
du renouveau de la vie
à travers le cycle des saisons
et la célébration d'un nouvel
an. Cette fête du renouveau
cyclique de la vie s'exprime
à Babylone à travers
la consommation du vin doux
nouveau servi aux constructeurs
de l'arche grâce à laquelle
l'humanité survécut au déluge.

La première alliance et l'arc-en-ciel

Ce déluge universel ouvre le temps d'une nouvelle relation entre les hommes et leur divinité. Yahvé s'engage à ne plus jamais maudire la terre et à ne plus frapper les vivants, renonçant à son pouvoir d'exterminer l'humanité. Avant le déluge, les hommes sont les esclaves des dieux, livrés à leur merci. Le déluge a purifié l'humanité de ses fautes, et vivre devient un droit reconnu par Yahvé. Désormais l'homme se trouve au sommet de tout ce qui vit et respire. Il peut tuer des animaux et des oiseaux, et pêcher des poissons pour se nourrir.

Cette alliance entre la divinité et l'humanité est conditionnée au respect de lois universelles, les Sept lois noachides :
– le devoir de justice, en établissant un tribunal civil dans chaque région ;
– l'interdiction du blasphème, du mensonge et du faux témoignage ;
– le rejet de l'idolâtrie ;
– l'interdiction de l'inceste, de l'adultère et de l'ensemble des délits sexuels ;
– l'interdiction du meurtre ;
– l'interdiction du vol ;
– l'interdiction de la cruauté, comme de manger un animal vivant, ou de le découper sans l'avoir abattu.

Le signe de cette alliance, le sceau céleste chargé de rappeler à la divinité son alliance avec l'humanité, sera un arc-en-ciel. Cette représentation est l'arme favorite des dieux, l'arc avec lequel ils lancent leurs flèches contre les hommes, des traits de la providence porteurs d'épidémies, de maladies, mais aussi de remèdes et de guérison.

L'épopée de Gilgamesh, le déluge babylonien

La onzième tablette du récit assyrien de l'épopée du roi Gilgamesh nous livre le déluge selon la culture mésopotamienne. Découverte dans la bibliothèque du roi **Assurbanipal** qui régna au VIIᵉ siècle avant notre ère, cette version du déluge date du IIᵉ millénaire.

Gilgamesh, en quête du secret de l'immortalité, rencontre un vieillard nommé Outnapichtim qui vit avec son épouse sur l'île des Bienheureux. Ce Noé babylonien racontera à Gilgamesh comment il survécut au déluge universel envoyé sur la terre par les dieux. Comme Noé plus tard, Outnapichtim devra son salut à un navire où il embarquera sa famille ainsi qu'un échantillon de la faune et de la flore terrestres. Lui aussi lâchera des oiseaux, notamment une hirondelle, pour savoir si la terre ferme a émergé de la crue.

Il existe néanmoins des différences fondamentales de philosophie entre le déluge de Noé et celui d'Outnapichtim.

Noé est un simple père
de famille, un juste respectueux
des lois. Outnapichtim est
un roi, voire un roi-prêtre,
à la richesse immense et qui
entretient des relations
privilégiées avec les dieux.
Ce ne sont pas ses qualités
humaines qui le sauveront
mais bien ses rapports personnels
avec les divinités. Avec Noé,
c'est la cellule familiale
patriarcale qui est sauvée, avec
Outnapichtim, c'est un embryon
de société et son potentiel
économique qui est épargné.
Hormis le déluge, le récit
biblique et le récit babylonien
apportent néanmoins
une espérance commune,
la coexistence "pacifiée" entre
l'homme et la divinité.

LA TOUR DE BABEL, À L'ORIGINE UN REFUGE CONTRE LES INONDATIONS

Une trentaine de **ziggourats**
ont jusqu'à présent été mises
au jour en Mésopotamie. Il s'agit
de tours à étages, dont le nom
dérive du verbe *zaqaru*,
"bâtir en hauteur". Avant
la construction de ces ziggourats,
les Mésopotamiens ont
l'habitude de construire
des buttes artificielles surmontées
d'une effigie de la divinité
protectrice, puis d'un temple,
embryon des futures ziggourats.
Des fouilles récentes dans une
plaine du sud de l'Euphrate
ont permis de découvrir,
sous une ziggourat construite
en 2095 avant notre ère,
dix-huit niveaux d'occupation
surmontés de temples successifs
depuis six millénaires.
Les populations des alentours
venaient apparemment se mettre
à l'abri des crues de l'Euphrate,
avec leur bétail et leurs réserves
de céréales. Chaque crue
nécessitant l'augmentation en
hauteur de la butte, considérée
rapidement comme un lieu saint,
les cultes célébrés sur les "hautes-
terrasses" justifieront l'édification
de véritables temples, les futures
ziggourats de quinze à cinquante
mètres de haut surplombant
les eaux d'en bas, source de toute
vie. Le grenier-providence des
huttes primitives, une fois enrichi
de symboliques de plus en plus
sophistiquées au fur et à mesure
des crues des fleuves, deviendra
l'expression des origines
et des sens de l'univers et de
sa création. La ziggourat, d'abord
un refuge contre les déluges,
deviendra un espace sacré voué
à la perpétuation de la vie.
La tour de Babylone, la célèbre
tour de Babel de la Bible, sera
donc nommée *Etemenanki*,
temple de la "Fondation du ciel
et de la terre".

En Inde, un poisson sauve l'humanité du déluge

Absent dans le Véda, le mythe du déluge est attesté pour la première fois dans le *Satapatha Brahmana*, rituel rédigé probablement au VIIe siècle avant notre ère : un poisson avertit Manou de l'imminence du déluge et lui conseille de construire un bateau. Lorsque la catastrophe éclate, le poisson tire le bateau vers le nord et l'arrête près d'une montagne. C'est là que Manou attend l'écoulement des eaux. À la suite d'un sacrifice, il obtient une fille et de leur union descend le genre humain. Dans la version transmise par le *Mahabharata*, Manou est un ascète. Dans le *Bhagavata Purana*, le roi-ascète Satyavrata est averti de l'approche du déluge par Hari (Vishnou) qui a pris la forme d'un poisson.

Rien ne relie cette catastrophe avec un quelconque ressentiment des dieux envers les hommes. On peut néanmoins s'interroger sur leur incapacité à sauver ces hommes qui sont leur création et qui ont un rôle essentiel à jouer, celui d'être leur miroir dans lequel ils peuvent voir leur beauté et leur puissance. Sans création, les dieux restent inconnus et inutiles !

En Iran, la fonte des neiges provoque le déluge

En Iran, la fin du monde est consécutive à un déluge résultant de la fonte des neiges accumulées pendant un terrible hiver. **Ahura Mazdâ** conseille à Yima, le premier homme, qui est aussi le premier roi, de se retirer dans une forteresse. Yima prend avec lui les meilleurs parmi les hommes et les différentes espèces d'animaux et de plantes. Le déluge met fin à l'âge d'or où l'on ne connaissait ni la vieillesse ni la mort. Dans l'état actuel de nos connaissances, nous n'avons pas non plus de traces d'une quelconque décision divine de grand nettoyage même si le retour à une situation normale voit la disparition d'un monde ancien.

Un dieu-vagabond provoque le déluge inca

Aux Andes, le dieu suprême des Incas, Viracocha, est à la fois le dieu des orages et le dieu du soleil. Vagabond et mendiant, il erre à travers le globe en traçant la course du soleil et déverse ses nuages orageux à la vue de la condition précaire de ses créatures. Viracocha avait créé la terre, les étoiles et les êtres humains, mais comme cette première création lui déplaît, il la détruit pour créer un monde meilleur. Viracocha disparaît de l'autre côté du Pacifique, mais cette fois le soleil ne se relèvera pas.

LE SIGNE DU POISSON
Toutes les croyances à travers
le monde et les époques
consacrent un rôle essentiel
au poisson. Le seul à avoir
survécu au fameux déluge,
le poisson, armé de cette force
vitale, détient aussi cette qualité
de vivre entre deux eaux,
à proximité du monde
des hommes et juste au-dessus
des abysses, sources du chaos
primordial. Le poisson vit
dans un monde interdit
aux hommes. Épouvanté
par la puissance de ces eaux,
conscient qu'une mort en mer
est une mort sans sépulture,
donc sans accès à une vie
éternelle, l'homme attribuera
au poisson des qualités vitales
de fertilité et de guérison.
Certains médecins des rois
assyriens revêtaient un costume
de poisson pour mieux soigner
leurs patients, et, deux mille ans
plus tard, Jésus sera lui-même
qualifié de "grand poisson"
c'est-à-dire de guérisseur
de l'humanité.
En Chine, le poisson est
obligatoire lors d'un repas
de mariage. Ses centaines
d'œufs symbolisent la fertilité
du couple et la promesse
de nombreux enfants.

Un coffre de bois au sommet du mont Parnasse

La mythologie grecque
reconnaît également des âges
successifs à l'humanité.
L'histoire des hommes issus
d'une race de pierre commence
avec celle du déluge. Zeus,
furieux de la perversité
et de l'impiété de l'humanité,
envoie, avec l'aide de son frère
Poséidon, dieu des mers, neuf
jours et neuf nuits d'orage,
de tempêtes et de raz-de-marées
pour noyer la surface de la terre
et anéantir les mortels.
Le déluge couvre les plus hauts
sommets, épargnant le seul
le mont Parnasse. Deucalion,
fils de Prométhée, et Pyrrha,
nièce de Pandore, se réfugient
dans un coffre de bois construit
sur les conseils de Prométhée.
Ce dernier donna déjà le feu
à l'humanité et vient
à nouveau de la sauver...

Le déluge celtique : l'Irlandais Fintan se transforme en saumon pour survivre

Le récit du déluge celtique est une compilation médiévale du XVIIIe siècle de légendes celtiques christianisées. Pour survivre au déluge qui inondera l'Irlande, Fintan, le premier druide, se métamorphosera en saumon, c'est-à-dire en poisson capable de remonter le cours des rivières. Puis il vivra une année sous l'eau, à l'abri d'une grotte sous-marine. Le seul à avoir survécu à son peuple, il se transformera en aigle puis en faucon avant de reprendre sa forme humaine pour raconter le destin de son peuple perdu, les Céssaires, dont le nom signifie "averse".

Le déluge selon le livre chinois des *Vastes Lumières*

Le *Huainanzi*, issu du *Livre des Vastes Lumières* est un ouvrage de vingt et un chapitres rassemblés au IIe siècle avant l'ère chrétienne. Abordant des sujets variés comme l'astronomie, la cosmologie, la mythologie, l'alchimie ou encore les vingt-quatre périodes du calendrier agricole, le *Huainanzi* témoigne de catastrophes naturelles proches des récits du déluge. Avec une différence tout de même : le déluge n'est pas ici un châtiment imposé à une humanité coupable d'impiété, mais une catastrophe "naturelle" dont l'homme vient finalement à bout.

Selon le *Huainanzi*, dans des temps très anciens, les colonnes qui soutiennent le ciel aux quatre points cardinaux se brisent et la terre se fissure. Le ciel ne recouvre plus entièrement la terre et la terre ne soutient plus entièrement le ciel. Les eaux inondent le monde. Les fauves dévorent les humains. Les oiseaux de proie pourchassent les vieillards et les enfants. Nüwa, déesse créatrice au corps de serpent, qui façonna les premiers hommes avec de la glaise et leur donna le pouvoir de procréer, fait fondre des pierres de cinq couleurs, et avec la pâte obtenue, colmate le ciel. Elle tranche les pattes d'une tortue de mer géante pour en faire aux quatre points cardinaux des piliers capables de supporter le ciel. Nüwa terrasse le dragon noir

qui tourmente les Chinois. Elle incendie des roseaux et, avec leurs cendres, contrôle les crues. La voûte céleste restaurée et à nouveau soutenue par quatre piliers, les eaux sont domptées. La Chine retrouve enfin la paix.

Yu, le Noé du déluge chinois

À l'origine mi-homme mi-dragon, Yu aura progressivement une apparence humaine. D'après le *Livre des Monts et des Mers*, un déluge ravagea toute la terre, menaçant même d'exterminer le peuple. Kouen l'inventeur des digues, représenté par un ours jaune, tente sans succès de sauver le monde, volant à l'empereur céleste une terre magique capable de se reproduire à l'infini et d'endiguer les inondations. Furieux, l'empereur céleste tue Kouen et abandonne sa dépouille sans sépulture. De ce corps laissé à l'air libre pendant trois années naîtra Yu. Plus habile que Kouen, Yu poursuit la lutte contre le déluge. Inspiré par une tortue surnaturelle, un génie sorti d'une rivière, Yu creuse des canaux, dompte les cours d'eau et aplanit les collines. Aidé par un dragon et une tortue noire qui porte sur son dos la terre magique, il affermit les neuf provinces, mesure les neuf fleuves, les neuf marais et les neuf montagnes, divise la terre de Chine en neuf régions propices à l'agriculture et retient ainsi à jamais les eaux qui menaçaient d'inonder le ciel et la terre. Grâce à ses exploits, Yu sera proclamé empereur de Chine.

Les minorités chinoises Yao et Miao racontent que Nüwa et Fuxi furent les deux seuls rescapés d'un déluge qui submergea le monde. Néanmoins, selon la mythologie classique, les deux personnages mythiques associés au déluge sont Kouen et son fils Yu. Mais même si le thème du déluge est traité de différentes manières, il reste présent dans l'ensemble des folklores chinois.

Après la vie : au-delà, pays-sans-retour, enfers et paradis

L'homme est confronté à une certitude étrange, celle d'une mort inéluctable. S'agit-il de "la" fin ou d'un passage, une transition vers un autre monde ? La mort donne-t-elle un sens à la vie, en est-elle un élément essentiel ou bien est-elle un accident, une injustice ? L'homme doit-il se préparer à renaître ou à vivre une autre vie ailleurs ? Tous les systèmes de pensée religieux à travers le temps et les continents placent ces questions au cœur des religions. Chaque croyance a son au-delà, ce qui prouve l'universalité des préoccupations humaines.

Le pays-sans-retour des Mésopotamiens

Dans le monde mésopotamien, vers 1700 avant J.-C., l'épopée de Gilgamesh relate que, lorsque les dieux ont créé les hommes, ils leur ont assigné la mort, et conservé la vie éternelle pour eux. En fait, même les dieux peuvent mourir, mais pas de vieillesse ni de maladie : ils ne peuvent qu'être tués par d'autres divinités.

La mort est ressentie par les hommes comme une destination universelle que même le pouvoir des dieux ne peut leur éviter. Se pose alors la question fondamentale : Que devient l'homme après la vie ? Et où va-t-il après avoir quitté la terre des vivants ?

Les Mésopotamiens imaginent le monde comme un immense globe constitué de deux hémisphères : l'En-Haut et l'En-Bas. Le ciel, ou monde d'En-Haut, est séparé de l'enfer, le monde d'En-Bas, par une nappe d'eau où flotte la terre des vivants. L'hémisphère d'En-Bas devient donc le territoire des défunts. Ce royaume des morts est aussi

appelé "le pays-sans-retour".
Pour le trépassé, se rendre dans
ce monde souterrain est un
long voyage vers le soleil
couchant, auquel ses proches
doivent le préparer en plaçant
dans sa tombe des outres d'eau,
des vivres, des sandales et des
vêtements.

Rejoindre ce lieu suprême
d'un repos éternel est lié
à l'observation de nombreux
rites. Lamentations, périodes
de deuil, et surtout préparation
d'une tombe sont les atouts
d'un passage paisible. Priver
un défunt d'une sépulture est
considéré comme un châtiment
terrible qui lui interdit le repos
éternel espéré. Le respect
des rites funéraires a aussi pour
objet de satisfaire les défunts
et d'éviter qu'ils ne soient
tentés de réinvestir le monde
des vivants pour se venger
d'être morts.

LES FANTÔMES HANTENT DÉJÀ LE MONDE DES VIVANTS VERS - 2500

Dans la pensée mésopotamienne
ne subsiste de l'homme une fois
mort que son squelette et son
spectre, son souffle vivant qui
peut vagabonder à son gré.
Le pays-sans-retour est pourtant
doté de sept immenses
murailles, chaque porte étant
gardée par un cerbère
pour empêcher les défunts
de se rendre dans le monde
des vivants. Mais il arrive que
les disparus reviennent dans
les songes des vivants et,
parfois, se transportent pour
leur parler ou se plaindre.
La déesse Ishtar menacera de
libérer les morts et de les laisser
envahir la terre, y dévorer les
vivants – avant-goût de films
d'horreur comme *La Nuit
des morts vivants*. Le territoire
des morts est considéré comme
un pays hostile, un enfer
capable de lâcher ses démons
sur le monde, décrit comme
un espace lugubre, triste,
où les défunts ne sont plus que
l'ombre d'eux-mêmes.
Il sera nécessaire de prier
les défunts pour les contenter
et empêcher leur retour dans
le monde des vivants, et surtout
pour qu'ils intercèdent pour
le bien-être de leurs descendants
et plaident dans le tribunal
du pays-sans-retour.

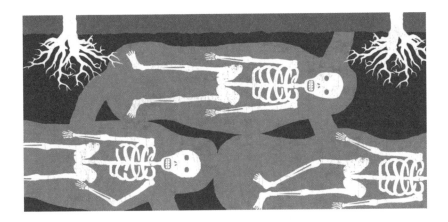

Le Shéol
de la Bible

Le monde souterrain réservé
à ceux qui ont "rejoint leurs
ancêtres" ressemble à s'y
méprendre au pays-sans-retour
des Mésopotamiens et au Hadès
de la mythologie grecque.
Le Shéol est un lieu obscur,
oscillant entre une existence
éthérée et une disparition
totale. Les défunts n'y
trouveront ni démons ni
divinités infernales. L'au-delà
n'est pas un enfer et n'est pas
un paradis, c'est une caverne
sous la terre que rejoignent tous
les morts, qu'ils soient bons
ou mauvais, circoncis ou pas,
juifs ou étrangers. Il est destiné
à l'humanité tout entière.
Rejoindre le Shéol, c'est aussi
se coucher avec ses pères,
retourner à la poussière
de ses ancêtres et donc se relier
génération après génération
à Adam, le premier homme,
en revenant à la pureté de
l'instant qui précède le péché
originel, un temps où l'homme
ne connaissait pas la mort.

En réalité, la Bible aborde
rarement le sort des hommes
après la mort. Le judaïsme
s'impose comme un culte
de la vie et s'occupe rarement
de l'après-vie. Vivre sa vie
actuelle est la priorité puisqu'elle
est le moyen pour l'homme
de contribuer au grand dessein
divin. En ce qui concerne
l'après-vie, Dieu en décidera
en son temps. L'idée même
d'un au-delà dont le confort
dépendrait des actions
accomplies durant la vie
terrestre n'effleure la pensée
juive que tardivement.
Le concept que le Shéol puisse
réserver un sort plus pénible
à ceux qui auront fait le mal
durant leur vie ne prendra
forme qu'avec les prophètes
bibliques Isaïe et Ézéchiel.

Ceux qui auront semé la terreur de leur vivant ne seront pas couchés avec les héros mais dans la fosse la plus profonde du Shéol. Le prophète Daniel, environ deux siècles avant l'ère chrétienne, annoncera que "beaucoup parmi ceux qui dorment dans la poussière se réveilleront pour la vie éternelle" alors que ceux qui auront combattu Dieu subiront une réprobation éternelle. L'origine du nom "Shéol" reste inconnue. Il n'est pas impossible qu'il s'agisse du nom oublié d'une divinité de la mort.

La Géhenne, le premier enfer

La vallée des fils d'Hinnom, ou Géhenne, se trouve aux portes de Jérusalem. Ce lieu est d'abord associé au Shéol puis aux profondeurs de l'enfer. Cette vallée était probablement le lieu où était rendu le culte de **Moloch**. Un culte sanglant puisque les enfants y étaient régulièrement sacrifiés. Le sacrifice humain étant interdit par la loi de Moïse, les juifs feront de cette vallée de larmes le lieu de toutes les abominations. Le souvenir des brasiers consacrés à Moloch et des flammes qui y brûlent éternellement inspirera sans doute l'image traditionnelle de l'enfer.

Le séjour des morts se trouve de l'autre côté de la mer

Les Celtes comme les premiers chrétiens d'Europe situeront l'enfer sur une île lointaine, enfouie dans la brume. Une fois la mer traversée et un fleuve franchi, le défunt doit passer derrière un haut rempart pour accéder enfin au monde souterrain. Hel est le nom de la déesse nordique des enfers. En celtique, *hel*, qui désigne un endroit caché, se traduira en anglais par *hell* (enfer) et désignera en allemand les racines de l'arbre de vie.

Du Hadès aux champs Élysées

Selon la mythologie grecque, les défunts descendent au Tartare, un lieu dont l'entrée est dissimulée par des peupliers noirs et des peupliers blancs consacrés à la déesse Perséphone. Chaque "ombre" tient une pièce de monnaie dans sa bouche afin de payer Charon le passeur qui leur fera traverser le fleuve **Styx**. Ceux dont les proches n'auront pas placé la pièce d'argent entre les dents se verront refuser

l'accès au monde souterrain et seront condamnés à errer éternellement sur les rives du Styx. Sur l'autre rive veille un molosse à trois têtes chargé d'empêcher les ombres de s'enfuir et les vivants de passer. Ce **Cerbère** est la réplique grecque d'**Anubis**, le dieu égyptien à tête de chien qui guide les âmes dans le monde souterrain.
Hadès, frère de Zeus, règne sans pitié sur le monde souterrain. À ses côtés, son épouse Perséphone représente l'espoir de la renaissance.

À quelques pas du royaume d'Hadès se trouvent les champs Élysées, une région gouvernée par Cronos, où il ne fait jamais nuit. Ce lieu fleuri respire le bonheur ; il est réservé à des héros qui peuvent choisir de renaître sur terre. Les champs Élysées sont un paradis promis aux âmes vertueuses. L'auteur latin **Virgile** prétend dans son œuvre *L'Énéide* que les champs Élysées se trouveraient dans la région de... Cannes !

LE NIRVANA

Le nirvana n'est pas le septième ciel. Il ne s'agit pas d'un paradis à l'image des champs Élysées grecs ou de l'Éden du christianisme. Le nirvana est l'état de connaissance qui garantit l'anéantissement du désir, de la haine, des erreurs – en fait un état libéré de toutes les raisons de souffrance ou de plaisir. Le nirvana n'est pas la désintégration du vivant, c'est la célébration de la connaissance, de la fin de l'ignorance spirituelle. Le but atteint dans le nirvana, c'est le terme du cycle des réincarnations. Il ne s'agit pas de bien ou de mal, mais de l'absence de bien et de mal. Il ne s'agit pas non plus d'un lieu de satisfaction ou de regrets. L'âme libérée par la connaissance juste dépose son fardeau au nirvana, monde au-delà du monde et de son existence.

D'où vient le paradis ?

Le roi **Cyrus le Grand** érige sa capitale en Perse, à Pasargades, située à une altitude de 1 900 mètres sur le mont Zagros. Cyrus y bâtit son tombeau monumental dans ce que l'on avait coutume de nommer le "paradis royal". Le tombeau était entouré d'un bois sacré planté d'arbres de toutes sortes, couvert d'un gazon épais et irrigué par de multiples bassins. C'est dire l'importance que Cyrus et ses successeurs donnent aux paradis royaux. L'agriculture et l'art de la guerre sont les préoccupations les plus nobles d'un roi. Ces immenses jardins, un par satrapie (ou province) de l'empire, rassemblent tout ce qui existe de plus beau ; les chasses royales ont lieu dans ces immenses domaines remplis de bêtes sauvages – éléphants, tigres, lions – que le roi traque à cheval ou que les jeunes Perses capturent au filet. Les paradis sont de vastes domaines. Plusieurs milliers d'animaux y sont abattus en une seule journée et Alexandre le Grand pourra séjourner dans celui d'Ecbatane avec toute son armée. L'iranien *paridaiza*, qui désigne "l'enclos du seigneur", sera traduit en grec par *paradeisos* puis en latin par *paradisus* : "parc réservé aux bienheureux". Aujourd'hui le paradis désigne le séjour des âmes après la mort. Comment ne pas faire le rapprochement avec le paradis terrestre, où Adam et Ève vécurent des temps de bonheur lorsque la mort n'existait pas encore ?

Les mouvements religieux qui ont construit notre monde : zéro, un ou plusieurs dieux ?

C'est quoi, le chamanisme ?

Prêtre, sorcier, guérisseur, devin, le chaman est tout à la fois. Capable d'entrer en contact avec le monde des morts, il interprète les rêves et intercède auprès des ancêtres pour obtenir leur protection dans les épreuves. Le chaman, placé sous la protection d'un esprit – souvent un parent décédé ou un disparu dont il a hérité du nom –, est le gardien des tabous du clan ; il peut deviner l'identité des transgresseurs de ces tabous. Les pratiques chamanistes traversent les peuples et les cultures religieuses mais ne forment pas une religion à part entière. Le chamanisme relève davantage d'un culte des ancêtres auquel est liée la conjuration d'un retour au chaos primordial, de la stérilité des femmes et de l'extinction du gibier. Il exprime une collectivité spirituelle, les vivants et les morts liés par une même conscience hors du temps, qui passe par l'intermédiaire du chaman. Cette pratique inscrite dans une culture animiste répandue encore aujourd'hui en Afrique est la croyance dans le pouvoir des âmes qui résident dans les corps humains, les animaux, les pierres ou les lieux, et celui des esprits des défunts.

C'est quoi, l'animisme ?

L'animisme est au fondement des religions. Cette croyance attribue une âme aux animaux, aux phénomènes et aux objets naturels, une force naturelle qui habite les pierres, les arbres ou encore les bêtes. L'animisme reste très vivant, y compris dans la spiritualité de peuples convertis aux différents monothéismes.

L'islam sénégalais, par exemple, conserve des croyances et des rites animistes. L'eau, la terre, l'air et le feu, quatre éléments qui forment la nature, sont sous l'autorité d'un être suprême assisté de dieux mineurs. Les marabouts sont les intercesseurs avec les esprits des ancêtres, et les *bawnanes* (sorciers) organisent des processions vers la mer pour y jeter en offrande du maïs ou du lait pour obtenir la venue de la pluie.

L'animisme résiste aussi au christianisme à travers les rites du vaudou, ou "culte des esprits". Le mélange de la pensée catholique et de religions animistes africaines donne naissance à ce culte sur l'île de Saint-Domingue. Dès son baptême catholique, le nouveau-né est placé sous la protection d'un esprit ancestral. À l'adolescence, il subit des rites de passage, des initiations qui ont pour objet le choix de l'esprit qui guidera la vie. Papa Legba, le "maître de la croisée des chemins", l'équivalent d'une divinité des destins, est parfois représenté en saint Pierre, gardien des clés de l'au-delà.

Erzulie, l'esprit de l'amour, est aussi représentée en Vierge Marie. Le vaudou est l'exemple une religion née de croyances et de rites différents. Malgré les contradictions entre animisme et christianisme ou islam, le vaudou montre combien le syncrétisme (le fait de fusionner des tendances différentes) est inhérent à la pensée religieuse.

C'est quoi, le polythéisme ?

Les religions polythéistes sont organisées autour de panthéons, c'est-à-dire d'un monde surnaturel constitué de dizaines et parfois de milliers de divinités auxquelles l'homme voue un culte selon les pouvoirs qui leur sont attribués. Les mythologies hittites, égyptiennes, ou encore mésopotamiennes expriment un culte polythéiste. Les dieux et déesses de l'Olympe sont un exemple familier du polythéisme. Zeus, roi des dieux, porteur céleste du pouvoir de la foudre, règne sur les autres divinités. Un culte ne peut être à la fois polythéiste et monothéiste. Néanmoins, il arrive que certaines tribus ou certains peuples se rassemblent sous une seule divinité. C'est l'hénothéisme, ou le culte privilégié d'un dieu sans nier l'existence des dieux des autres peuples.

C'est quoi, la monolâtrie ?

Au XIVe siècle avant notre ère, le pharaon Aménophis IV, surnommé Akhenaton, tente une révolution religieuse.
Il veut imposer le culte du dieu solaire **Aton**, représenté généralement par un disque solaire dont les rayons s'achèvent par des mains créatrices de vie, au détriment du dieu **Amon**, divinité céleste attachée à la fertilité à laquelle est attribuée la création de l'univers. Pour la première fois en Égypte, la divinité n'est pas associée à un animal mais à un symbole. Ce culte d'un dieu principal n'exclut pas l'existence et le culte d'autres divinités, mais établit simplement la suprématie d'Aton sur les autres divinités du panthéon égyptien. C'est la monolâtrie, le culte d'une idole principale. L'expérience d'Akhenaton ne survivra pas à la résistance du clergé d'Amon. Car derrière les cultes, il y a aussi la richesse des temples et l'influence politique des prêtres.

C'est quoi, le monothéisme ?

Le monothéisme est le culte d'une divinité unique et universelle. Cette divinité unique est créatrice de toute vie et de toute chose. Mais si, au cœur du grand dessein divin, se situent l'homme et la femme, le système de pensée monothéiste ouvre une vision unitaire de notre monde et de notre société. Tous les êtres vivants ayant été créés par la même divinité, le monothéisme a tendance à rapprocher les hommes plutôt qu'à les séparer, et à n'en exclure aucun. Néanmoins, la "compétition" du judaïsme, du christianisme et de l'islam pour la détention de la vérité universelle incite des chercheurs de plus en plus nombreux à considérer qu'en définitive nous avons peut-être affaire à trois monothéismes différents, concurrents, et qui ne sont peut-être pas tournés vers le même dieu "unique"…

Les religions
aujourd'hui

Le christianisme compte 2 milliards de fidèles dont 550 millions
en Europe, 280 millions aux États-Unis et 530 millions en Amérique
du Sud. L'islam compte un peu plus d'un milliard de fidèles dont
deux tiers sur le continent asiatique et 16 millions en Europe.
L'hindouisme et ses 700 millions de fidèles sort à peine de l'Inde,
avec quelques communautés en Indonésie, au Pakistan, au Népal
et au Bangladesh. Le bouddhisme est estimé à 400 millions
de fidèles, dont 3 millions en Europe et une dizaine de millions
aux États-Unis. Le sikhisme représente 20 millions de fidèles
dont près de 300 000 en Grande-Bretagne. Le judaïsme compte
aujourd'hui à peine deux fois plus de personnes de religion juive
qu'à l'époque de l'Empire romain, soit 14 millions de juifs dont
5,5 millions en Israël, 800 000 en France et 2 millions à New York.

C'est sur la base de leur influence philosophique et de leur
démographie qu'ont été choisies les religions contemporaines
que nous allons explorer. Des centaines d'autres croyances méritent
sans aucun doute d'être évoquées, mais cet ouvrage n'a pas pour
objectif d'être exhaustif ; son propos est de suivre le cheminement
des idées religieuses qui animent notre monde.

Les religions ne sont pas des ethnies mais des philosophies de vie

Le christianisme et ses divers mouvements spirituels – **orthodoxes**,
catholiques ou protestants, présents sur les cinq continents – reste
la première religion du monde. La majorité des catholiques vit
en Amérique latine : on trouve au Brésil 12 % du total des fidèles
dans le monde. Un quart environ des catholiques vit en Europe.
Les chrétiens ne sont donc pas tous occidentaux.
15 % des populations arabes sont chrétiennes.

L'islam, avec près de 1,15 milliard de fidèles, représente le second
mouvement religieux après le christianisme. Tous les musulmans
ne sont pas arabes et tous les Arabes ne sont pas musulmans.
L'islam est en effet constitué à 75 % de peuples non arabes.
20 % se trouvent en Afrique sub-saharienne, alors que la plus
grande communauté musulmane du monde vit en Indonésie.
Le sous-continent indien rassemble, entre le Bangladesh, le Pakistan
et l'Inde, plus de 350 millions de musulmans.

14 millions de juifs se répartissent principalement entre Israël (40 %), les États-Unis, la France, le Brésil, le Canada, le Royaume-Uni et la Russie. Depuis la première destruction du temple de Jérusalem en - 587 et sa seconde destruction en 70 jusqu'à la restauration de l'État d'Israël en 1948, le judaïsme vit en **diaspora**. Mais tous les juifs ne sont pas israéliens, et tous les Israéliens ne sont pas juifs. Avec 7,5 millions de citoyens, Israël compte 75 % de juifs et 20 % d'arabes musulmans ou chrétiens.

La naissance du monothéisme : le judaïsme

Première religion monothéiste, le judaïsme est organisé à la fois autour d'un livre saint : la Torah ou "Enseignement", et autour de l'histoire d'un peuple. Les Hébreux formeront une nation à l'issue du récit fondateur de l'Exode d'Égypte : les israélites sont issus des douze tribus fédérées par Moïse puis par son successeur Josué, dont le père commun est Jacob, renommé "Israël" par Dieu, Israël signifiant "El (dieu) est ma force".

Le terme "juif" est issu du grec *ieoudaios* puis du latin *judaeus* qui désignait les habitants de la Judée. *Yehoudi* en hébreu désigne les résidents de *Yehoudah*, l'ancien royaume de Juda et de sa capitale Jérusalem. À partir du IIᵉ siècle avant notre ère, le terme "juif" fait d'abord état d'une nationalité plus que d'une appartenance religieuse. Il est vrai cependant que l'appartenance à une religion était alors encore naturellement liée à la terre d'origine.

Les fidèles à la Loi de Moïse et au dieu unique de leurs pères, les patriarches Abraham, Jacob et Isaac, ne vivent pas qu'en Judée, mais sur le territoire de l'ancien royaume de David et de Salomon qui, selon le récit biblique, s'étend au Iᵉʳ millénaire avant notre ère des rives de l'Euphrate à l'est au territoire de Gaza à l'ouest. À la suite d'invasions successives (Assyriens, Babyloniens, Perses, Grecs puis Romains), de nombreuses

LE MONDE AU TEMPS DE MOÏSE

Du temps des dieux au temps des hommes
Le monde au temps de Moïse est un véritable volcan où il est difficile de trouver un espace de paix et de stabilité. Les grands empires s'effondrent les uns après les autres, libérant des peuples, vouant les autres à l'errance. Au Proche-Orient, c'est la fin de l'âge du bronze et la naissance de la pensée monothéiste, alors qu'en Chine se développe la religion du tao et qu'aux Indes commence la première époque védique.

diasporas juives s'installent à travers le monde, principalement à Babylone, puis à Alexandrie et à Rome. L'étude de la Torah va donc devoir s'adapter à son environnement historique, à ses traductions, et à ses nombreux commentaires et interprétations comme le **Talmud**.

LE DÉCALOGUE, UN VÉRITABLE CODE DE SOCIÉTÉ

Le Décalogue ou les Dix Commandements sont les injonctions prononcées par Dieu du sommet du mont Sinaï à l'intention des enfants d'Israël, sept semaines après l'Exode d'Égypte. Ces Commandements seront ensuite inscrits par le doigt de Dieu sur deux tables en pierre, les Tables de l'Alliance, remises à Moïse pour être entreposées dans l'arche d'Alliance qui sera, à partir du règne de Salomon, placée à l'abri du Saint des saints, la chambre la plus sacrée du temple de Jérusalem.

TROIS FÊTES FONDATRICES

Les trois fêtes de pèlerinages à Jérusalem sont d'abord des fêtes agricoles. Leur signification sera enrichie par des événements historiques célébrés à la même période. Ces fêtes fondatrices consacreront des événements mythiques dans le judaïsme puis dans le christianisme et l'islam.

La Pâque

La Pâque, *Pessah* en hébreu, est d'abord la fête de la première lune du printemps et la période de la première moisson de l'orge. C'est la fête du renouveau de la nature, de la renaissance des champs, des arbres fruitiers et du bétail. L'Exode d'Égypte, libération des Hébreux asservis par Pharaon, exprime la renaissance

L'Exode des Hébreux - 1450 ou - 1250
L'Exode biblique des Hébreux sous l'autorité de Moïse est généralement fixé à l'une de ces deux dates. L'hypothèse la plus probable est néanmoins celle de vagues successives (dès - 1500) d'Hébreux venus d'Égypte rejoindre d'autres Hébreux déjà installés en terre de Canaan, future "Terre promise". Profitant de la guerre entre l'Égypte et l'Empire hittite, les Hébreux réussiront à s'imposer aux rois cananéens divisés (- 1380 / - 1350).

Les Hyksos sont chassés d'Égypte
Vers - 1500, les Hyksos, peuple de langue sémitique qui règne sur l'Égypte depuis plus de trois siècles, sont chassés par le pharaon Ahmosis. Ils ont apporté au pays l'usage du cheval et des chars de guerre. C'est sous les Hyksos que les Hébreux sont accueillis en Égypte. L'avènement du Nouvel Empire changera leur situation et, d'invités, ils deviennent corvéables à merci et parfois esclaves.

LES DIX COMMANDEMENTS

Ces dix tabous, des interdits sans compromis, non justifiés et non discutables, sont au cœur du judaïsme et reconnus par tous les monothéismes. Ces commandements s'adressent en effet à l'ensemble de l'humanité et formulent les principes d'une éthique sociale dont l'obligation première est sans doute le "vivre ensemble" quelle que soit la terre et quelle que soit l'époque.

1. Je suis l'Éternel ton Dieu qui t'ai fait sortir du pays d'Égypte, de la Maison de l'esclavage. Tu n'auras pas d'autres dieux en face de moi.

2. Tu ne feras point d'idoles, ni aucune image de ce qui se trouve dans les cieux par en haut ou sur la terre par en bas ou dans les eaux par-dessous la terre. Tu ne te prosterneras pas devant elles ni ne les adoreras. Car moi, Yahvé ton Dieu, je poursuivrai le crime des pères sur les fils jusqu'à la troisième génération et jusqu'à la quatrième génération pour ceux qui me haïssent ; et je ferai grâce jusqu'à la millième génération pour ceux qui m'aiment et observent mes Commandements.

3. Tu n'invoqueras pas en vain le nom de l'Éternel.

4. Souviens-toi du jour de shabbat pour le sanctifier. Six jours durant tu travailleras, mais le septième jour me sera consacré. Tu ne feras aucun ouvrage, toi, ton fils, ta fille, ton esclave, ta servante, ton bétail ni l'étranger qui vit dans ta maison. Car en six jours, l'Éternel a fait les cieux, la terre et la mer et tout ce qui est en eux, mais il s'est reposé le septième jour. C'est pourquoi l'Éternel a béni le jour du shabbat et l'a sanctifié.

5. Honore ton père et ta mère afin que se prolongent tes jours sur la terre que Yahvé ton Dieu te donnera.

6. Tu ne tueras point.

7. Tu ne commettras pas d'adultère.

8. Tu ne voleras pas.

9. Tu ne porteras pas de faux témoignages contre ton prochain.

10. Tu ne convoiteras pas la maison de ton prochain, ni sa femme ni rien de ce qui est à ton prochain.

d'un peuple. L'ange de la mort envoyé
par Dieu pour prendre la vie des premiers-nés
d'Égypte "passera" par-dessus les maisons
des Hébreux protégées par le signe de Dieu
tracé sur les portes, avec le sang de l'agneau
pascal sacrifié pour l'occasion. Pessah est
appelée aussi "Passage", par adaptation
des termes grec *paskha* et latin *pascha*,
qui sont la traduction de ce mot.

Le sacrifice de l'agneau pascal consacre à Dieu
le premier-né des troupeaux afin de garantir
leur fertilité. Dans la tradition juive,
la consommation d'aliments fermentés
ou de pain levé est interdite sept jours durant.
La fête de la Pâque correspond en effet
à une fête plus ancienne encore, la fête
des Azymes. La Pâque chrétienne célébrera
la résurrection de Jésus le dimanche
de Pâques. Le sang de Jésus fera office
du sang de l'agneau pascal pour garantir
la résurrection du peuple, puis de ses fidèles
en général. La Pâque célèbre ici aussi
le "passage" de la mort à la vie nouvelle
comme l'Exode d'Égypte fut le passage
de la servitude à la liberté.

QUI ÉTAIENT LES PEUPLES DE LA MER ?
Ce nom désigne une multitude de peuples
méditerranéens qui, entre - 1300 et - 1150,
entamèrent un vaste mouvement
de migration, entraînant avec eux les peuples
qu'ils traversaient. Envahisseurs ou pirates,
on leur attribue la chute de la Crète,
de Chypre, de la cité d'Ougarit en Syrie
du Nord, ainsi que l'effondrement de l'Empire
hittite. Les Philistins, les Sardes, les Siciliens
comptent parmi les Peuples de la mer tout
comme les Achéens, ce qui rattache la fin
de Troie à ces invasions.

Les dieux Aton et Amon se disputent l'Égypte
- 1377 / - 1358
Aménophis IV, plus connu
sous le nom d'Akhenaton,
époux de la fameuse
Néfertiti, tente d'imposer
une forme de monolâtrie
à travers le culte d'une
divinité privilégiée : Aton,
dieu du soleil. Son gendre
Toutankhamon (- 1354
/ - 1346) sera obligé par
le clergé de rétablir
le culte d'Amon, dieu
du vent, élevé au rang
de créateur du monde.

Ramsès II, pharaon bâtisseur
Vers - 1279 / - 1212,
Ramsès II construit deux
temples à Abou-Simbel
dont l'un est orné
de quatre statues
monumentales
le représentant. Il édifie
une nouvelle capitale,
Pi-Ramsès, et ajoute
au temple de Louxor
une cour intérieure
et deux obélisques, dont
celui qui se trouve place
de la Concorde.

Les Philistins sont repoussés par Ramsès II
Entre - 1230 et - 1220,
Ramsès II combat
les Peuples de la mer
dont notamment
les Philistins, originaires
de Crète, qui seront
repoussés sur les rives
méditerranéennes
de Canaan.

La Pentecôte

La Pentecôte, *Shavouot* en hébreu, est la fête des Semaines. La Pentecôte a lieu sept semaines, soit quarante-neuf jours, après la Pâque, à l'occasion de la moisson des blés. Le mot "Pentecôte" est issu du grec *pentèkostè*, "cinquantième". C'est en effet le cinquantième jour après l'Exode d'Égypte que Moïse reçut les Dix Commandements proclamés par Dieu sur le Sinaï. *Shavouot* célèbre à la fois les moissons, le don de la Loi et l'Alliance qui inscrit Israël dans le grand dessein divin. Cette fête de pèlerinage marque le point culminant de la marche vers la liberté qui s'exprime à travers le don de la Loi.

Cette célébration fait aussi partie de la pensée chrétienne puisque la Pentecôte est le jour où l'Esprit saint descend sur les disciples de Jésus. L'apôtre Pierre scelle alors la première pierre de la future église chrétienne en baptisant ses premiers fidèles. L'islam à son tour célébrera la "Nuit du destin", anniversaire de la révélation du Coran à Mahomet. Cette fête a lieu durant le mois de Ramadan. La date ne correspond pas exactement à la Pentecôte, simplement parce que le calendrier musulman est basé sur le cycle lunaire qui se déplace d'une douzaine de jours chaque année.

La fête des Cabanes

Fête des Cabanes, fête des Tentes ou encore fête des Tabernacles, en hébreu *Soukkot*, la troisième fête de pèlerinage a lieu à la première lune d'automne. Cette célébration de la vie prend place à cette période où la longueur des jours diminue et où l'hiver s'annonce. Il est temps de récolter les fruits de ses efforts. C'est la fête des vendanges. Pour récolter la vigne, les familles s'installent huit jours durant dans des cabanes de feuillage.

La guerre de Troie ou la fin des temps héroïques
La guerre de Troie immortalisée par Homère se déroule vers - 1250, alors que l'Empire hittite s'effrite sous la pression des Peuples de la mer. Les vainqueurs de Troie seront balayés quelques dizaines d'années plus tard lors des invasions doriennes. C'est le terme de l'âge du bronze et le commencement de l'âge du fer. Les armes de guerre se sont transformées et les tactiques ont évolué, donnant une plus grande place à la cavalerie. La mythologie fait maintenant partie du passé.

Chute de la dynastie d'Agamemnon - 1400 / - 1150
C'est la fin de l'époque mycénienne. Les chars de guerre sont balayés par des cavaliers plus légers et plus mobiles. Les palais fortifiés sont détruits, notamment par des tribus venues des Balkans.

Soukkot est aussi la célébration des quarante années d'exode dans le désert, un temps où les Hébreux vivaient sous des tentes avant de se sédentariser sur la Terre promise.
Dans les périodes bibliques, *Soukkot* est la fête de pèlerinage la plus largement respectée.
La destruction par les Romains du temple de Jérusalem en 70 mettra fin aux pèlerinages agricoles et diminuera leur importance.

Chute de l'Empire hittite
Entre - 1238 et - 1190, l'empire des Hittites (le plus ancien peuple indo-européen civilisé), qui s'étend sur l'Asie Mineure, s'effondre sous les coups des Peuples de la mer, malgré son alliance avec l'Égypte (- 1258).
Les forgerons hittites en fuite apporteront le fer au Proche-Orient.

LE JOUR DU GRAND PARDON

Dix jour après le nouvel an, en hébreu *Rosh hashanah*, est célébré le jour des Expiations, *Yom Kippour*, une journée de jeûne et de pénitence. C'est le jour le plus saint et le plus solennel du calendrier juif. Jusqu'à la destruction du temple de Jérusalem en 70, la célébration de *Yom Kippour* reposait essentiellement sur les rites accomplis par le grand prêtre. Elle était marquée notamment par les sacrifices du bouc et du taureau et par le bannissement vers le désert du bouc émissaire, chargé des péchés du peuple (la tradition de transférer les fautes humaines sur des animaux est une pratique connue des Babyloniens qui jetaient dans l'Euphrate la tête d'un bouc symbolisant les fautes commises par le peuple envers ses dieux). Aujourd'hui, la prière à la synagogue a remplacé la liturgie du temple. Au terme de la journée, lorsque retentit la sonnerie du *chofar**, les fautes envers Dieu sont expiées, et chacun espère que cette nouvelle année commence sous de bons auspices.

Le tao devient la voie de la Chine
La dynastie Chang règne sur la Chine de - 1500 à - 1000. C'est un État féodal dont les cités sacerdotales sont entourées de murailles et l'écriture réservée aux devins. La religion de la Chine est le tao (la Voie), culte du Ciel suprême, des esprits de la nature et des ancêtres.

---

* Le *chofar* est un instrument à vent en corne de bélier dans lequel on souffle aux instants les plus importants des célébrations religieuses. C'est aussi le *chofar* que les guerriers d'Israël faisaient résonner pour effrayer les ennemis et appeler l'attention de Dieu sur le champ de bataille.

Mais cette fête d'automne conservera
la signification première d'une saison
dangereuse pour l'homme, puisque la lumière
baisse, la nature s'enfonce dans la terre
et l'homme doit à nouveau combattre pour
survivre. Le vin obtenu des raisins récoltés
a en effet la couleur du sang de la vie.
Le christianisme mettra l'automne sous
la protection de saint Michel, combattant
de la lumière contre les ténèbres, comme les
Romains le placèrent sous celle de Dionysos.

LA TORAH, "ENSEIGNEMENT" OU TÉMOIGNAGE ?

Le christianisme désigne la Torah sous le
nom d'Ancien Testament et, parfois, Premier
Testament. En latin, *testamentum* signifie
"alliance". La pensée chrétienne estime que
l'alliance entre Dieu et les hommes se déroule
en deux périodes indissociables : une première
alliance tranchée avec Abraham puis Moïse,
puis une seconde alliance conclue à travers
la crucifixion et la résurrection de Jésus.
L'islam, à partir du VIIᵉ siècle, verra dans
le don divin du Coran à Mahomet l'expression
d'une troisième et définitive alliance d'Allah
avec ses fidèles. Mais si le Coran reprend à
son compte certains prophètes du judaïsme
et du christianisme, comme Abraham, Moïse
ou encore Jésus, la Torah ou les Évangiles
ne seront pas adjoints au Coran.

Un millénaire de rédaction

La Torah est conçue sur une période d'un
millénaire. Écrits en hébreu du VIIᵉ au Iᵉʳ siècle
avant J.-C., les textes seront aussi rédigés
en araméen puis traduits en grec, et bientôt
des textes seront directement rédigés dans
cette langue.
La Torah réunit de nombreux écrits, dont
le Pentateuque, les cinq livres supposés avoir

Naissance de l'hindouisme
De - 1500 à - 1000
se déroule la première
époque védique.
Les Aryens, peuple indo-
européen originaire
de l'actuel Iran, imposent,
grâce à leurs chars de
guerre, leur domination
aux Dravidiens, une
nation linguistique
formée de Tamouls,
de Telugus et de
Malayalis qui occupaient
les régions centrales
et méridionales de l'Inde,
et le Pendjab, au nord-
ouest de l'Inde et du
Pakistan. Grâce à leur
suprématie militaire,
les Aryens imposent leurs
traditions religieuses.
Vers - 1300 sont rédigés
les quatre recueils
formant les Védas, rituels
et traités philosophiques
qui contribuent à former
la religion védique,
source de l'actuel
hindouisme.

Apparition des Étrusques
Venus de Lydie,
les Étrusques, sans doute
héritiers des fameux
Peuples de la mer,
s'installent dans la région
de Toscane vers - 1250,
et y créent la plus
importante civilisation
avant Rome. Ils fondent,
sur l'emplacement
de la future Ville éternelle,
la cité de Rumon la "ville
des deux fleuves".
À ce jour leur langue n'a
pas encore été déchiffrée.

été rédigés par Moïse. La Genèse raconte
la création du monde, des hommes et
l'alliance scellée à travers le récit d'Abraham.
L'Exode rapporte la vie de Moïse et la sortie
des Hébreux d'Égypte. Le Lévitique établit
les règles de pureté que les prêtres doivent
respecter. Les Nombres traitent du recensement
des Israélites et le Deutéronome, ou "Seconde
Loi", reprend des textes précédents, sans doute
rédigés entre - 725 et - 695. Le Pentateuque
de Moïse s'achève sur sa mort alors que
les Hébreux se trouvent au seuil de la Terre
promise. D'autres livres s'ajoutent :
les Prophètes, les Juges, les Psaumes, Job,
le récit de Ruth, le Cantique des cantiques,
Qohelet ou l'Ecclésiaste, les Lamentations,
le récit d'Esther, puis les Livres de Daniel,
d'Esdras, de Néhémie et les Chroniques
qui se présentent comme une vision
théologique de l'histoire d'Israël.

D'OÙ VIENT LE MOT "BIBLE" ?

Les feuilles de papyrus étaient utilisées pour
fabriquer des rouleaux d'écriture. Le port
de Byblos, plaque tournant du commerce
du papyrus, donnera son nom aux œuvres
écrites. *Biblos* désignera le futur livre. Chaque
rouleau de papyrus enroulé autour d'un bâton
fera un *volumen* (d'où vient le mot "volume").
Dès le Ier siècle, les textes saints sont appelés
Ta biblia : "Les livres". Dans le texte de la Bible,
le mot "bible" lui-même ne sera jamais utilisé.
Les scribes juifs continueront d'utiliser
les rouleaux de papyrus pour conserver leurs
écritures, et le mot se répandra pour désigner
ces feuilles de papyrus pliées en quatre puis
cousues ensemble.
Aujourd'hui, la Bible désigne soit la Torah juive
soit le Nouveau Testament, soit les textes
saints juifs et chrétiens rassemblés.

L'Empire assyrien prend son essor

En - 1235, le roi d'Assyrie, Tukulti-Ninurta Ier,
s'empare de Babylone
et porte le premier Empire
assyrien à son apogée.
C'est un événement sans
précédent qui donnera
naissance à un poème
épique : l'épopée
de Tukulti-Ninurta.
Le roi sera assassiné
dix ans plus tard par ses
proches.

En Assyrie, les châtiments corporels se répandent

Oreilles et nez coupés,
langue arrachée, visage
brûlé à l'asphalte, main
tranchée, et castration
sont le lot habituel des
condamnés de droit
commun.

Les plateaux d'Iran se peuplent

Entre - 1200 et - 1000
arrivent sur le territoire
du futur Iran deux peuples
parlant des langues indo-
européennes : les Madai
ou Mèdes et les Parsua
ou Perses.

Les Dix Commandements

Vers - 1450 ou - 1250,
trois mois après
le commencement
de l'Exode d'Égypte,
Moïse transmet aux
Hébreux le Décalogue
(Dix Paroles plutôt que
Dix Commandements)
qui va révolutionner leur
organisation morale
et sociale. Le monothéisme
se structure.

LES BONS CONSEILS
N'ONT PAS DE RELIGION

"Ce que tu veux que les hommes fassent
pour toi, fais-le pour toi-même et pour eux",
conseille le Nouveau Testament dans les
Évangiles de Mathieu et de Luc. Cette règle
d'or est inspirée du verset du Lévitique :
"Tu aimeras ton prochain comme toi-même."
Le sage pharisien Hillel l'Ancien exprimera
la même préoccupation de l'Autre, au Ier siècle
avant J.-C., en enseignant à ses élèves :
"Ne fais pas à autrui ce que tu ne voudrais
pas qu'il te fît."

**Le cheval révolutionne
la guerre**
Le cheval introduit par
les Hyksos est employé
à la guerre dans
la charrerie. Il faut
compter trois chevaux
pour un char à deux
roues (deux plus un
de réserve). Ce n'est que
vers - 1000 qu'apparaît
la cavalerie.

MOÏSE : PROPHÈTE OU LÉGISLATEUR ?

Né dans la tribu de Lévi en Égypte
à une période sombre où Pharaon a ordonné
de jeter au Nil tous les nouveau-nés hébreux,
le futur Moïse sera caché par sa mère jusqu'à
ce qu'elle se décide à le placer dans une
arche, une panier de jonc qui sert de berceau,
et à l'abandonner à son destin sur le Nil.
La fille de Pharaon recueillera l'enfant
et l'élèvera comme son propre fils.
Prophète ou législateur de génie, libérateur
et visionnaire, Moïse accomplit ce que
personne avant lui n'avait pu réaliser.
Il changera la perception que l'humanité
avait d'elle-même.

**Le dromadaire devient
le vaisseau du désert**
Entre - 1500 et - 1000,
l'utilisation du dromadaire
pour les transports se
développe. Sa résistance
transforme le nomadisme
en permettant
de voyager plus loin.
L'âne et le mulet doivent
en effet boire tous
les deux jours alors que
le dromadaire peut vivre
dix-sept jours sans eau.
Les modes de vie
changent.

LE TEMPLE DE JÉRUSALEM, OBJET DE TOUTES LES ATTENTIONS

Vers - 1000, David, roi d'Israël, fait de Jérusalem la capitale de son nouveau royaume. Son rêve est d'ériger un temple à la gloire de Yahvé qui sanctifiera sa capitale et sera le ferment de la dynastie royale. Un dieu unique, un peuple, une terre, une dynastie royale et un temple unique : cinq idées qui inspireront l'histoire et la philosophie bibliques. Le temple sera finalement construit par son fils Salomon à partir de - 970. Le Saint des saints, chambre la plus sacrée du temple dans laquelle seul le grand prêtre peut pénétrer une fois par an à l'occasion des fêtes d'expiation, accueillera l'arche d'Alliance contenant les Tables de la Loi (les Dix Commandements) et le bâton d'Aaron, frère de Moïse.

En - 587, Nabuchodonosor II, roi des Chaldéens, s'empare de Jérusalem, détruit le temple et déporte la fine fleur de Judée à Babylone. En - 538, Cyrus le Grand, roi des Perses, fait la conquête de Babylone, libère les Judéens en exil et les autorise à retourner sur leur terre y reconstruire le temple de Jérusalem. Entre - 520 et - 515, le second temple sera inauguré.

Cinq siècles plus tard, Hérode le Grand, nommé roi par les Romains, décide – bien qu'il ne soit pas juif – de démonter le temple du Retour pour ériger, entre - 37 et - 4, un temple plus conforme à la mode grecque de l'époque. En 70, à la suite de la révolte juive contre l'occupant romain, Titus, fils de Vespasien, investit Jérusalem et détruit le temple. C'est la fin d'un judaïsme organisé autour des rites de purification, des prêtres et des sacrifices d'expiation, et un recentrage sur l'étude de la Torah. Selon le judaïsme moderne, la connaissance de la Loi fait partie des nouveaux rituels de piété permettant l'élévation spirituelle des justes.

Le message principal de la Loi laissée par Moïse est d'abord le monothéisme et le refus de toute forme d'idolâtrie. Cette nouvelle loi est aussi une véritable révolution sociale gouvernant les relations entre l'homme et son prochain, avec par exemple la limitation de la durée de la servitude à six années et du temps de travail à six jours consécutifs.

QU'EST-CE QU'UNE SYNAGOGUE ?

Lieux destinés à la prière publique, aux études religieuses et à la vie de la communauté, les synagogues font sans doute leur apparition au VIᵉ siècle avant J.-C. durant la période d'exil des Judéens à Babylone. Du grec *sunagôgê*, "aller ensemble", on l'appelle en hébreu *Beit Knesset*, la "maison de l'assemblée".
Le premier témoignage concret de la construction d'une synagogue date du IIIᵉ siècle avant l'ère chrétienne en Égypte, mais c'est au Iᵉʳ siècle que les synagogues s'institutionnalisent en terre d'Israël et en diaspora. Après la destruction du temple de Jérusalem en 70, les synagogues prennent une importance essentielle dans la perpétuation du culte juif, puisque la prière et l'étude de la Torah y remplacent les sacrifices d'antan. Le culte au temple exigeait l'intervention des prêtres, mais dans une synagogue le rôle individuel prend toute sa place.
Chaque synagogue, reproduction symbolique du temple de Jérusalem, contient une "arche sainte", petite pièce fermée qui abrite la Torah. L'arche, chambre équivalente au Saint des saints, est généralement située sur le mur oriental de la synagogue, tournée vers Jérusalem de telle sorte que les fidèles puissent à la fois prier en direction de Jérusalem tout en restant face à la Torah.

La fin de l'âge du bronze
L'âge du bronze a commencé à des époques différentes selon les régions. Le métal n'apparaît en Chine que vers - 1500, alors qu'il est connu en Égypte, en Mésopotamie et en Anatolie dès le IIIᵉ millénaire. En Europe, l'âge du bronze se situe vers - 1800 et s'achève vers - 700, alors qu'au Proche-Orient l'âge du fer commence vers - 1200.

Un homme devient Dieu : le christianisme

LE CHRISTIANISME, RELIGION DE LA "BONNE NOUVELLE"

La pensée chrétienne se construit d'abord sur cette déclaration : "Jésus est vivant, le crucifié est ressuscité, et il vient pour nous sauver." Cette "bonne nouvelle", en grec *evangelion*, donnera son nom aux Évangiles. Quatre textes fondateurs vont ainsi répandre la nouvelle du ministère de Jésus, de sa crucifixion et de sa résurrection.

L'Évangile de Marc, écrit probablement en 67, soit trente-sept ans après l'exécution de Jésus par les Romains de Ponce Pilate, rapporte les étapes de la vie de Jésus en Galilée, ses rapports avec ses disciples et, pour la première fois, annonce l'ouverture du tombeau vide et la résurrection de Jésus. Rédigé vers 80, l'Évangile de Matthieu est le seul à aborder les circonstances de la mort de Judas soupçonné d'avoir livré Jésus aux Romains.
L'Évangile de Luc, rédigé aussi vers 80, a pour sujet l'enseignement de Jésus destiné probablement aux premières communautés de convertis. Ce texte rapporte le reniement de l'apôtre Pierre, la confrontation de Jésus avec le roi iduméen Hérode ou encore le déroulement de la Cène.
Plus mystique, l'Évangile de Jean sera écrit vers 100, imprégné d'une distance indispensable pour élever le récit au rang

LE MONDE AU TEMPS DE JÉSUS

Le siècle de Jésus est une époque d'éveil social dans plusieurs régions du monde. La pensée judéo-chrétienne se développe à travers l'Empire romain, ébranlant les structures polythéistes et la divinisation des empereurs. La couronne des Césars est désormais portée par des hommes issus du peuple. En Chine est tentée la première expérience collectiviste. En Inde, c'est le temps des monastères bouddhistes qui commence. Le monde semble se préparer à sortir de l'Antiquité.

La Grèce s'endort
La Grèce, réduite au rang de province romaine par Auguste en - 27, n'est plus qu'un musée pour touristes. Elle se dépeuple. Le centre de l'hellénisme se déplace à Alexandrie. L'élite grecque, tournée vers son passé perdu, développe une résistance empreinte de xénophobie envers les religions dites orientales que sont le judaïsme et le christianisme naissant.

de croyance. C'est le seul des quatre évangiles
à ne pas mentionner la présence de Marie,
mère de Jésus, au pied de la croix.

PAUL ORGANISE LA PENSÉE CHRÉTIENNE

Selon l'apôtre Paul, qui n'a pas connu Jésus,
"le Messie est mort pour nous". L'auteur
de treize épîtres considère la crucifixion
de Jésus comme un sacrifice destiné
à racheter tous les péchés des hommes.
Né vers 15 d'une famille galiléenne, Paul
(en hébreu Saül) est issu de la tribu
de Benjamin, la plus petite des douze tribus
d'Israël. À travers ses voyages, Paul
va développer la doctrine chrétienne.
À ses yeux, la mort de Jésus libère
les hommes de l'esclavage du péché. Paul
donnera au baptême une place essentielle
dans son enseignement. Il développera
le concept de communion avec Jésus par
l'eucharistie, c'est-à-dire la participation
à sa coupe de vin et au pain rompu lors
de repas de la Cène. Paul élèvera le mariage
terrestre entre homme et femme à un mariage
céleste entre Jésus et son Église. En 64, Paul
sera décapité à Rome sur les ordres de Néron,
sans doute en représailles pour l'incendie
de Rome dont les judéo-chrétiens sont tenus
pour responsables.

PROPHÈTE OU MESSIE, JÉSUS VÉCUT DANS UN MONDE ASSERVI PAR ROME

Yehochoua (en hébreu "Dieu sauve"), naît
vers - 6 sous le règne d'Auguste, à Bethléem,
patrie du roi David, dont doit descendre
le Messie. La date de la naissance de Jésus est
basée sur le premier recensement de Judée
ordonné par Auguste et le gouverneur
Quirinus. Cette obligation aurait poussé
ses parents Joseph et Marie à se rendre

Mithra concurrence Jésus
Introduit à Rome en - 67,
le culte de Mithra,
originaire du zoroastrisme
persan, concurrence
au Ier siècle la pensée
chrétienne. La religion
mithriaque, réservée
exclusivement
aux hommes, perdra
sa bataille contre le
christianisme qui compte
une majorité de fidèles
parmi les femmes.

**Rome est ravagée
par un incendie**
En 64, un terrible
incendie ravage Rome.
La rumeur prétend
que Néron lui-même,
en quête d'inspiration
pour la dernière partie
de son poème consacré
à l'incendie de Troie,
aurait déclenché
la catastrophe. D'après
Suétone, Néron, choqué
par la laideur des anciens
édifices, l'étroitesse
et la sinuosité des rues,
et l'étendue des
bidonvilles, décida
de faire brûler la cité.
Les flammes dévorèrent
la Ville éternelle pendant
six jours et six nuits. Tacite
rapporte que Néron
accusa de ce crime "ceux
que les gens du commun
appellent chrétiens"…
C'est au titre de
l'accusation d'incendiaires
que quelques centaines
seront exécutées, et non
pour leur appartenance
religieuse. Il ne s'agira
donc pas d'une
persécution massive des
premiers judéo-chrétiens ;
celle-ci ne commencera
qu'avec l'empereur
Domitien, une vingtaine
d'années plus tard.

de Nazareth à Bethléem, chef-lieu de la région. La traduction grecque *Iésous* donnera Jésus ou Josué, "le Sauveur". Considéré très jeune comme un étonnant docteur de la loi mosaïque, Jésus évolue en Galilée et en Judée opprimées par les Romains où gronde déjà la révolte qui mènera à la destruction du temple par Titus en 70.

LE MESSIE, UN SAUVEUR UNIVERSEL

Le mot "messie" est la traduction de l'hébreu *machiah* : "l'oint du seigneur". *Christos* est la traduction en grec du mot *machiah*. Jésus, considéré comme le Messie par les chrétiens, sera qualifié de *christos* : Jésus-Christ. Mais le christianisme n'est pas la seule pensée religieuse qui s'appuie sur la venue d'un Sauveur universel devant apporter la paix et la résurrection des morts.

Sauveur et rédempteur, le mot "oint" est d'abord appliqué à un prêtre du temple de Jérusalem. L'huile que l'on fait couler du sommet de sa tête vers ses yeux doit donner la clairvoyance et le discernement nécessaires pour faire la différence entre le pur et l'impur, entre le juste et l'injuste. L'"Oint" est investi d'une mission divine.

Le concept de messie est donc étroitement lié à l'idée de résurrection du peuple puis des individus. Il s'agira aussi de la restauration du royaume de David et du retour de tous les juifs exilés sur leur terre. Le Messie sera donc nécessairement issu de la Maison de David. La pensée chrétienne verra le Messie en Jésus de Nazareth. Il sera d'ailleurs crucifié par les Romains en tant que roi des Juifs, alors que, prudemment, il annonçait que son "royaume ne serait pas de ce monde".

À Rome, fin de la dynastie julio-claudienne
Avec le suicide de Néron en 68, c'est la dynastie légitime d'Auguste qui s'éteint. Désormais, la couronne des Césars ira au plus fort, et d'abord à des généraux issus de la plèbe. Vespasien fondera la dynastie des Flaviens, succédé par ses fils, Titus puis Domitien.

Éruption du Vésuve
Le 24 août 79, l'éruption du Vésuve raye Pompéi de la carte du monde. En trois heures à peine, Pompéi est ensevelie sous quatre mètres de cendres. Le célèbre historien latin Pline l'Ancien succombe à la fumée du Vésuve pour avoir voulu observer la catastrophe de trop près.

La pensée stoïcienne de Sénèque influence l'Empire romain
Sénèque (né à Cordoue en - 2, mort à Rome en 65), précepteur de Néron, consul en 57, et surtout philosophe, développe la pensée stoïcienne, une forme de rationalisme qui lie logique et morale. Ses écrits eurent une grande influence sur la société romaine d'alors. Sénèque tombe en disgrâce en 62, sans doute pour avoir tenté de s'opposer à la tyrannie de Néron. Il doit se suicider en s'ouvrant les veines. Ce qu'il fera… stoïquement.

Un aqueduc sur le Gard
Entre 40 et 60 de notre
ère, les Romains
construisent le pont
du Gard. Un aqueduc
de 275 mètres de long
et une cinquantaine
de mètres de haut,
destiné à acheminer l'eau
de la source d'Eure
à Uzès, jusqu'à Nîmes,
cinquante kilomètres
plus loin. Hisser les blocs
de pierre de six tonnes
nécessaires à l'édification
des trois niveaux du pont
n'a sans doute rien
à envier aux mystères
de la construction
des pyramides.

Quatre mouvements de pensée s'opposent
alors dans Jérusalem.

• Les sadducéens, un groupe politico-religieux,
clergé du temple de Jérusalem, s'inscrivent
dans l'héritage du légendaire Sadoq, grand
prêtre de Salomon. Ils se tiennent
à l'observation rigoureuse de la Loi et des textes
écrits, ne croient ni à l'immortalité de l'âme
ni à la résurrection des morts, et s'acclimatent
de l'occupation romaine autant pour des
raisons de conservatisme que de prudence.
• Les plus populaires, les pharisiens, donnent
la priorité à l'étude de la Loi et à son
interprétation orale. Opposés aux sadducéens,
leur influence sur le peuple est grandissante.
• Les plus purs, les esséniens, sans doute issus
des pharisiens, s'organisent en communautés
de type monacal où la recherche de la pureté
se fait à travers le respect intransigeant de
la Loi. Les esséniens combattront les Romains
et disparaîtront pratiquement en même
temps que le temple.

**La Gaule est divisée
en provinces**
En - 27, Auguste divise
la Gaule en quatre
provinces : au sud,
la Narbonnaise devient
une province sénatoriale,
le reste de la Gaule est
partagé en trois provinces
impériales : l'Aquitaine,
la Lyonnaise et la
Belgique. En 17 de notre
ère, Tibère crée deux
nouvelles provinces
en bordure du Rhin :
la Germanie inférieure
et la Germanie supérieure.

• Enfin les plus révolutionnaires, les zélotes, qui allient à la stricte observance religieuse une pensée nationaliste, seront des acteurs essentiels de la grande révolte contre Rome.

C'est dans ce véritable chaos que la pensée réformatrice de Jésus se développe. Vers 30, celui que les apôtres considèrent comme le Messie tant attendu est crucifié par les Romains. Et, dernière insulte de Ponce Pilate faite aux Judéens, sur le *titulus* accroché à la croix sera inscrit : *Jésus de Nazareth, roi des Juifs.*

La Gaule commence à exploiter le vin
La boisson favorite des Gaulois était le *zython*, une sorte de bière. Mais l'exploitation de vignobles introduits par les Romains se développe le long de la vallée du Rhône, puis en Bourgogne et en Moselle. Le tonneau est inventé.

LA CÈNE OU LE DERNIER DÎNER
Du latin *cena* ("dîner"), la Cène est le dernier repas pris en commun entre Jésus et ses douze apôtres, sans doute le dîner rituel de célébration de la Pâque juive. Jésus sera arrêté le lendemain et crucifié. Son sacrifice le vendredi de la Pâque *(Pessah)* est à mettre en relation avec le sacrifice de l'agneau pascal à la même période. L'un et l'autre doivent apporter la protection divine, la liberté et la promesse d'une nouvelle vie.

QU'EST-CE QU'UN MARTYR ?
En grec, *martur* signifie "témoin". Ce n'est qu'à partir du IIe siècle, avec l'intensification des persécutions romaines contre les juifs et les *christiani* (les futurs chrétiens) que le mot "martyr" désignera une personne innocente victime d'une mort injuste et violente. Les fauteurs de trouble que sont les *christiani* pour la société romaine – notamment en raison de leur espérance dans la venue d'un messie, un sauveur universel qui rétablirait le royaume d'Israël – seront pourchassés par Rome. Jésus crucifié en 30, Étienne lapidé en 34, et Jacques en 62,

Apogée de Palmyre
Ancienne ville du désert de Syrie, à proximité de l'oasis de Tadmor et de l'Euphrate, Palmyre, située au carrefour des caravanes reliant le golfe Persique à la Méditerranée, joue un rôle essentiel dans les échanges commerciaux, au point d'être tentée de bâtir son propre empire. Palmyre passera néanmoins sous la tutelle de Rome en 17. Les dieux de Palmyre, presque exclusivement masculins, assument à partir du Ier siècle le rôle de divinités astrales. Bêl, le dieu suprême, a emprunté son nom au grand dieu de Babylone.

THÈCLE, LA PREMIÈRE MARTYRE DU CHRISTIANISME, VÉCUT JUSQU'À QUATRE-VINGTS ANS

Dotée du titre de première martyre du christianisme, la future sainte Thècle, née sur le territoire de l'actuelle Turquie au début du Ier siècle, fut convertie par Paul. Dénoncée, la jeune vierge est condamnée à périr par le feu, mais elle sortira miraculeusement intacte des flammes. Thècle est ensuite livrée aux fauves dans l'amphithéâtre d'Antioche, mais les bêtes sauvages, par miracle ou trop repues pour chasser, se couchent à ses pieds. Elle est alors jetée dans une fosse remplie de serpents mais une boule de feu réduit les reptiles en cendres. Enfin Thècle est attachée par les pieds à deux taureaux afin qu'elle soit écartelée mais les liens se brisent. Thècle mourra à Séleucie à l'âge avancé de quatre-vingts ans et sera canonisée. Il n'est donc pas indispensable de donner sa vie pour être un martyr. Être victime de persécutions suffit !

Hérode le Grand espère éclipser Salomon

En - 4 meurt le roi de Judée Hérode le Grand. Fils d'une princesse arabe et d'un officier iduméen, c'est Marc-Antoine qui, en - 41, l'a nommé à la tête de la Judée conquise par Pompée. Paranoïaque, Hérode, en véritable tyran, va jusqu'à faire exécuter son épouse Marianne et ses propres fils dont il craint la légitimité monarchique issue de leur sang maternel. En - 10, Hérode (qui n'est pas juif) décide de rebâtir le temple de Jérusalem, espérant ainsi éclipser la gloire de Salomon. Le sanctuaire ne sera achevé qu'une soixantaine d'années après sa mort vers 62, puis détruit par Titus en 70.

Paul décapité et Pierre crucifié à la suite de l'incendie de Rome en 64 : les premiers chrétiens seront donc "martyrisés". Le supplice prend l'aspect d'une sanctification. Les martyrs sont avant tout des saints. Ce lien entre la mort violente d'un innocent et la piété qui l'anime fait d'une victime un martyr.

Un martyr est à la fois une victime innocente et une personne prête à mourir pour sa divinité. Aujourd'hui, ce terme est parfois "utilisé" par des mouvements extrémistes pour glorifier les auteurs d'actes terroristes qui donnent leur vie. Un martyr n'est pas un soldat de Dieu, c'est au contraire la victime d'une violence aveugle et injustifiable.

Tibère s'en prend aux juifs

En 19, Tibère, influencé par le préfet Séjan, inquiet de l'influence grandissante de la pensée monothéiste sur la société romaine, expulse les juifs de Rome et en enrôle de force quatre mille pour servir en Sardaigne.

Ponce Pilate en Judée

En 26, Tibère nomme Ponce Pilate procurateur de Judée avec la mission "d'en finir avec la Loi des juifs".

DIONYSOS ET HÉRACLÈS SOUFFRAIENT DÉJÀ LE MARTYRE AVANT DE DEVENIR DES DIEUX

Le supplice injuste infligé à des innocents n'est pas réservé aux religions monothéistes. Dionysos, fils de Zeus et de la mortelle Sémélé, n'eut pas non plus un destin de tout repos. Sa mère meurt en voulant contempler Zeus, le dieu des dieux, dans sa splendeur. Pour sauver l'enfant qu'elle porte, Zeus l'abrite dans sa cuisse. Dionysos naît de la cuisse de Zeus. Sur l'ordre de la déesse Héra, les Titans s'emparent du nouveau-né et le déchiquettent en petits morceaux qu'ils font bouillir. Mais sa grand-mère Rhéa, déesse de la terre, le ramène à la vie. Dionysos plantera le premier cep de vigne et siégera à la droite de Zeus, faisant désormais partie des douze dieux de l'Olympe. Aussitôt se développe le mythe de l'assomption de sa mère vierge (Sémélé est considérée comme vierge puisqu'elle n'accoucha pas de son fils).
Une mère vierge, un père divin, une persécution, un supplice, une résurrection, et un rôle essentiel attribué au vin : le destin de Dionysos paraît bien croiser le destin de Jésus-Christ !

Il en est de même pour Héraclès. Né d'une mortelle et d'un dieu (Zeus), il subit le supplice du feu. Sa part mortelle meurt dans d'atroces souffrances et sa part divine s'élève vers l'Olympe où il devient un dieu à plein temps. Pas question de vin dans le mythe d'Héraclès, mais du bois d'olivier qui lui est consacré. Ce nouveau dieu aurait pu trouver sa place sur le mont des Oliviers près de Jérusalem, où Jésus passa ses derniers jours terrestres.

Titus détruit le temple de Jérusalem
En 70, après dix-huit mois d'un siège sanglant, Titus, fils de l'empereur Vespasien, s'empare de Jérusalem et incendie le temple.

En Inde règne la dynastie d'Andhra
Vers 50, début de la domination de la dynastie Câtavahâna sur le puissant royaume d'Andhra au nord-ouest du Dekkan, partie péninsulaire de l'Inde. Elle s'effondre en 195.

Les héritiers des Scythes soutiennent le bouddhisme
La dynastie impériale des Kouchans, héritiers de l'invasion de l'Inde par les Scythes vers - 128, règne sur le Gandhara et le Penjab. Ces princes indo-scythes, fortement hellénisés, deviennent dès le Iᵉʳ siècle des ardents promoteurs du bouddhisme.

LES PROTESTANTS : LE CHRISTIANISME SE RÉFORME

Vers 1517, Martin Luther, moine et théologien né en Allemagne, amorce la réforme de la pensée chrétienne qui mènera à la naissance du protestantisme. La question fondamentale que pose sa réforme est celle du pardon des péchés de l'homme et de la comparution de ce dernier devant le tribunal divin.

Pour Martin Luther, les pratiques de l'Église axées sur les jeûnes, les prières, les confessions, les communions censées accompagner la recherche du salut ne prennent pas en compte le destin de l'homme. Il estime que malgré tous ses efforts, l'homme ne sera jamais parfaitement saint et peut être à la fois juste et pécheur. Selon lui, les exercices religieux ne peuvent assurer à l'homme son salut. Seule la foi permet d'accéder à la grâce divine. En fait le destin d'un homme n'est pas d'être saint (il n'y parviendra jamais) mais de lutter contre le péché. L'homme se trouvant malgré lui en état de péché permanent, la foi est un cadeau divin qui donne accès à la vie éternelle. La traduction allemande du Nouveau Testament puis de l'Ancien Testament par Martin Luther marquera les bases de la Réforme.

En 1529 apparaît le mot "protestant" dans le sens de "confessant". Les disciples de la Réforme sont désormais des protestants qui considèrent que la foi de l'homme, la grâce de Dieu et les Écritures suffisent pour accéder au salut éternel. Le terme "protestant" désigne désormais tous les mouvements de pensée issus de la Réforme : luthériens, calvinistes, méthodistes, pentecôtistes, évangélistes...

QU'EST-CE QU'UNE CATHÉDRALE ?

À la fin du Ier millénaire, l'église est souvent l'unique édifice de pierre à des kilomètres à la ronde, où tous les habitants des localités voisines se rassemblent chaque dimanche. Le haut édifice richement décoré de peintures et de sculptures jure avec les humbles habitations de ses fidèles. Ces masses de pierre concrétisent, dans ces pays d'agriculteurs et de guerriers, le devoir de l'Église catholique : combattre les puissances des ténèbres. Le plan d'une église est généralement toujours le même : une nef centrale conduisant au chœur, flanquée de deux ou quatre bas-côtés. Afin de reproduire une architecture en forme de croix, les bâtisseurs ajouteront, entre le chœur et la nef, ce que l'on nomme le transept. Pour échapper aux ténèbres, chaque église est dotée de candélabres, des "porte-lumière" manifestant la force de l'Église. Jusqu'au XIVe siècle, les églises sont conçues en considérant l'orientation des prières vers l'est, en direction du soleil levant. Le coq juché au sommet des clochers surveille en effet le lever du soleil et l'arrivée du Saint-Esprit.

Si la première cathédrale a été initiée par Charlemagne à Aix-la-Chapelle en 786, la plupart des grandes cathédrales, sièges d'un évêché, sont édifiées dès la fin du XIIe siècle avec l'espoir d'ouvrir au croyant les portes d'un autre monde, comme Notre-Dame de Paris en 1163 ou Notre-Dame de Reims en 1211. Vitraux et pierres précieuses illuminent les murs. Sculptures et effigies animent la pierre. La cathédrale de Reims contient plus de deux mille sculptures. Comme pour les synagogues, églises et cathédrales seront utilisées jusqu'au XIVe siècle à la fois pour des offices religieux et des assemblées civiles.

En Inde, apparition de l'art des monastères
Au Ier siècle se développe au Gandhara l'art des monastères, centre d'une école artistique autrefois définie comme gréco-bouddhiste. Cette école est restée célèbre pour ses représentations sculptées de Bouddha.

En Chine, première expérience collectiviste
En Chine, Wang Mang ravit le pouvoir aux Han pour une courte période (9-23) durant laquelle, tel Mao deux millénaires plus tard, il tente la première expérience collectiviste chinoise. Wang Mang, affaibli par une succession de catastrophes naturelles, échoue devant son programme de réformes politiques. La jacquerie dite "des Sourcils rouges" sonne le glas de son règne.

La route de la soie est ouverte
25-220, restauration de la dynastie Han qui régnait depuis - 206. Le règne de la dynastie Han, avec notamment la conquête du Turkestan, correspond à l'apogée de l'Empire romain en Occident. La route de la soie est ouverte jusqu'à Rome.

L'EAU DIVINE EST AU CŒUR DU BAPTÊME CHRÉTIEN

Le mot baptême vient du grec *baptizein* qui signifie "plonger" ou "immerger" dans le cadre d'un rite religieux. Au cœur du baptême, se trouve l'eau, promesse du monde à venir, indissociable des rites religieux : bain purificateur du judaïsme, baptême du christianisme, ablutions de l'islam ; quatre fleuves qui baignent le jardin d'Éden. La dépouille d'Adam aura été lavée trois fois dans le lac de l'Achéron pour être purifiée et s'élever dans le ciel. L'humanité plongée dans l'eau par le déluge en renaîtra purifiée dans la justice divine. Et les Hébreux ne renaîtront à la liberté sur une terre promise qu'après avoir traversé la mer Rouge, dans une forme de baptême collectif. Ce rite est bien antérieur au christianisme, mais y deviendra néanmoins un rite fondateur.

SE PURIFIER POUR ACCÉDER
AU ROYAUME DE DIEU

Au tout début du Ier siècle, un prêtre
du temple de Jérusalem nommé Yohanân suit
une existence d'ascète, prêche d'abord dans
le désert, puis de l'autre côté du Jourdain,
où il enseigne la piété et le repentir. Au terme
de ses prédications, Yohanân plonge les
fidèles dans l'eau du Jourdain pour purifier
les corps et les âmes et restaurer la piété
nécessaire pour vivre dans la justice de Dieu.
C'est à travers le bain rituel qu'un nouveau
converti est introduit dans la communauté
juive. Le christianisme verra en Yohanân
l'annonciateur de la venue du Messie.
Précurseur de Jésus-Christ qu'il plongera
dans les eaux du Jourdain, Yohanân devient
Jean-Baptiste. Lors du baptême de Jésus par
Jean, une colombe descendra du ciel comme
l'Esprit saint sur les hommes. Le baptême
chrétien ouvre désormais les portes
du royaume messianique. Le baptisé, reconnu
comme enfant de Dieu, reçoit le don
de l'esprit divin, l'accès à la justice,
à la réparation des péchés et à la vie éternelle.
Il s'agit dans la pensée chrétienne d'un
sacrement indispensable pour entrer dans
le Royaume de Dieu, car, selon l'Évangile
de Marc, "Celui qui croira et sera baptisé sera
sauvé".

**La brouette apparaît
en Chine**
Ier siècle : invention
en Chine de la première
brouette. Elle n'apparaîtra
en Occident qu'au début
du XIIe siècle.

Un Dieu, un Prophète, un livre : l'islam

L'ISLAM, UNE RELIGION INDISSOCIABLE DU JUDAÏSME ET DU CHRISTIANISME

Le sage El-Bokhari rapporte qu'on demanda un jour au prophète Mahomet ce qu'est l'islam juste. "C'est, répond-il, une religion fondée sur cinq piliers : la profession de foi, la prière, l'aumône, le jeûne et le pèlerinage." Son entourage insiste : "Si nous respectons ces cinq règles, irons-nous au paradis ?" Le Prophète ajoute alors : "Nul n'est vraiment musulman s'il ne désire pour son prochain ce qu'il désire pour lui-même." Cette dernière citation exprime le lien indiscutable entre l'islam, le judaïsme et le christianisme : aimer Dieu d'un amour sincère, en respecter le culte, et aimer son prochain – trois obligations communes aux trois monothéismes. D'autant que la fameuse règle "Aime ton prochain comme toi-même" a été énoncée par la loi juive dans le Lévitique il y a près de trois millénaires, puis déclinée au Iᵉʳ siècle avant l'ère chrétienne, soit sept siècles avant la naissance de l'islam.

LE DESTIN DE MAHOMET, PROPHÈTE DE L'ISLAM

Une région où cohabitent judaïsme, christianisme et un polythéisme particulier aux nomades.
Dans cette région d'Arabie plutôt pauvre, des peuples différents tentent de vivre

LE MONDE AU TEMPS DE MAHOMET

Le prophète Mahomet vécut en Arabie entre 570 et 632. Pendant cette période, le monde est sujet à de nombreux bouleversements, en Chine, en Inde, mais aussi en Europe et au Japon. À l'aube du Moyen Âge, il semble que, un peu partout, l'humanité cherche à s'approprier et réécrire les valeurs de l'Antiquité.

En Chine, le bouddhisme devient religion d'État
La dynastie Leang établit le bouddhisme en Chine vers 520.
Le **confucianisme** marque un réel recul et la Chine qui, jusqu'alors, n'a reçu la pensée bouddhiste qu'à travers des missionnaires étrangers, voit les premiers moines bouddhistes chinois s'organiser et parfois partir en pèlerinage vers les Indes.

ensemble. La plupart des oasis y sont habitées par des tribus juives qui pratiquent l'agriculture, et l'on compte de plus en plus de convertis au judaïsme, notamment depuis que Dhû Nuwas, seigneur du royaume himyarite (l'actuel Yémen), a embrassé la foi du Dieu unique de Moïse et demandé à son peuple d'en faire autant. Au nord de l'Arabie se sont aussi formés des royaumes chrétiens, et les conversions dans la foi au Dieu du Christ y sont nombreuses. Les hommes du désert, quant à eux, demeurent fidèles à leurs croyances ancestrales. Les Bédouins craignent le pouvoir des djinns qui vivent dans la nature, et vénèrent les arbres et les pierres, les bétyles. Il existe même à La Mecque, où l'on connaît déjà un dieu nommé Allah, un sanctuaire dédié à une Pierre noire – sans doute une météorite – qui aurait été apportée par l'ange Gabriel.

Le culte des pierres sacrées et météorites

Le terme biblique *beth el* signifie la "maison du Dieu". Bethel (aujourd'hui à vingt kilomètres de Jérusalem) serait le lieu où le patriarche biblique Jacob vit en songe une échelle appuyée sur la terre et atteignant le ciel. *Bethel* se traduira par les Gréco-Latins en *baytili* qui se traduit aujourd'hui par le mot "bétyle", qui désigne une pierre sacrée, dressée en manifestation de la "présence divine".

Les pierres comme les arbres tiennent une place importante dans le monde des religions. La pierre sous la forme de rocher donne l'impression d'exister avant toute forme de vie et de subsister après la mort des hommes. La pierre transcende l'homme en imposant un système de vie différent et supérieur à celui de l'homme, puisque la pierre est dure, solide et de forme

Justinien, empereur chrétien de Byzance, ravive le rêve des Césars
Justinien Iᵉʳ (527-565) fait une tentative importante et fatale de réunifier l'Empire romain d'Orient et l'Empire romain d'Occident. Dans l'espoir de sceller l'unité renouvelée, Justinien édicte à Byzance en 529 l'impressionnant Code justinien, construit à Constantinople la basilique Sainte-Sophie et entreprend d'établir sur le territoire de l'Empire le christianisme orthodoxe. Sa tentative est brisée par la terrible épidémie de peste qui va tuer un quart de la population de l'Empire et la moitié de celle de Byzance. Les Maures, les Huns, les Avars, les Salves, les Bulgares, les Ostrogoths, les Perses en profitent pour tenter d'envahir le pays.

inhumaine. Cet aspect céleste prend toute sa dimension avec les météorites qui frappent la Terre, envoyées par des puissances supérieures, des dieux ou des déesses, auxquels l'homme vouera un véritable culte.

C'est le cas de la Ka'aba adorée à La Mecque. Il s'agit d'abord du culte d'une pierre noire envoyée par la "Grande Déesse", équivalente à la déesse Cybèle des Romains. La Ka'aba représente d'abord trois divinités principales : Al-Lât, déesse de la fertilité, Al-Ozzâ, la puissante étoile du matin, et Manat, déesse du temps et des destins. La Pierre noire de La Mecque est considérée dans le monde préislamique puis dans l'islam comme le centre du monde, l'axe magique autour duquel tournerait l'univers.

Le culte des pierres existe avant l'islam. Il ne s'agit pas d'une religion des pierres, car ce ne sont pas les rochers ou les cailloux qui sont adorés mais bien leurs qualités. La dévotion des hommes se justifie par l'énergie vitale que les pierres sont supposées contenir.

Les menhirs par exemple font office de gardiens de sépultures. La pierre, considérée comme incorruptible, a le pouvoir d'empêcher la mort de se propager : l'âme des défunts gardant son intégrité ne risque pas de se propager dans le monde des vivants. La pierre funéraire, comme aujourd'hui la pierre tombale, fait office de frontière, d'une borne entre la vie et la mort.

Il existe aussi un culte des pierres fertilisantes. Certains rochers, dolmens et menhirs auraient le pouvoir d'apporter la fertilité à une femme. En Inde, les jeunes couples s'adressent à des mégalithes pour être certains

Saint Benoît organise le monachisme
En 529, les règles édictées par Benoît de Nursie en son abbaye du Mont-Cassin et notamment celle qui fait de l'humilité la voie essentielle du salut, vont inspirer l'ordre des Bénédictins et susciter les grandes réformes monastiques de l'Occident.

d'avoir des enfants. En Europe, des femmes se frottent le ventre avec une pierre pour être certaines d'enfanter un garçon, d'autres marchent sur des pierres pour se protéger de la stérilité. Marcher sur des charbons ardents n'est rien de moins que de marcher sur des "pierres de foudre" (des pierres tombées du ciel) pour détourner la mort de son chemin.

On ne connaît pas l'année exacte de la naissance de Mahomet

À La Mecque, au cœur de l'Arabie, Amina, veuve depuis quelques semaines, donne naissance, dans une famille de chameliers de la tribu bédouine des Quraychites, à un garçon qui va changer le destin de son peuple. Mahomet – dont le nom signifie "Celui qui est digne de louanges" – serait né l'année de l'éléphant, c'est-à-dire celle durant laquelle les armées de l'Abyssin Abraha, vice-roi du Yémen, s'attaquèrent à La Mecque. L'offensive se serait déroulée en 570 ou 571.

En 611 Mahomet apprend qu'il est l'Envoyé de Dieu

C'est dans ce monde où se mélangent la Parole de Moïse, celle des Évangiles et le culte de la Ka'aba, la Pierre noire, que Mahomet va avoir sa Révélation. Après des siècles de soumission à plus de trois cents divinités et de superstitions animées par des djinns, petits génies malicieux qui interviennent dans la vie des mortels, Mahomet reçoit la visite de l'ange Gabriel sur le mont Hirâ, à quelques pas de La Mecque. Mahomet a quarante ans, l'âge de la sagesse, et a pris l'habitude de méditer régulièrement dans une grotte. C'est au cours de l'une de ces *khilw*, ou retraite spirituelle, qu'il reçoit pour la première fois la visite de l'ange,

Sainte-Sophie est édifiée à Constantinople. Chef-d'œuvre de l'architecture byzantine, cette église dotée d'une coupole de 31 mètres de diamètre et de 55 mètres de hauteur est construite entre 532 et 537 sur l'ordre de l'empereur Justinien Iᵉʳ. Les Turcs la transformeront en mosquée au XVᵉ siècle en y ajoutant quatre minarets.

qui lui demande de lire. "Mais que dois-je lire ?" s'inquiète Mahomet qui est illettré. L'archange lui demande de répéter après lui : "Lis, au nom de ton Seigneur qui a créé ! Lis… Car ton Seigneur est le Très-Généreux. Il a instruit l'Homme au moyen d'une plume de roseau et lui a enseigné ce qu'il ne savait point…" C'est le premier verset du Coran, qui lui sera désormais révélé pendant vingt-deux années de suite, entre 610 et 632. Khadidja, sa femme, croit aussitôt en sa mission et devient ainsi la première musulmane de l'Histoire. L'ange Gabriel lui annonce qu'il est "l'Envoyé de Dieu, le prophète d'Allah". Désormais, Mahomet a pour mission de réciter aux hommes les paroles que lui dicte le ciel. L'islam vient de naître, et son livre sacré, le Coran (de l'arabe *qur'an*, réciter) en sera la Bible.

Clotaire Ier rétablit l'unité du royaume franc

À la mort de Clovis en 511, son royaume, en vertu de la loi salique, est partagé entre ses quatre fils Thierry, Clodomir, Childebert Ier et Clotaire Ier qui deviendront respectivement roi de Reims, roi d'Orléans, roi de Paris et roi de Soissons. Après une série de morts naturelles et d'assassinats, seul survit Clotaire Ier qui, entre 558 et 561, réussit à rétablir l'unité du royaume franc.

QUI EST L'ANGE GABRIEL ?

L'ange Gabriel, *Djibril* en arabe, est l'intermédiaire entre Dieu et les hommes. Dans la Bible juive, l'ange Gabriel, en hébreu "l'homme de Dieu", dévoile au prophète Daniel le sens de ses visions. Il est probable que "l'ange de Yahvé" qui empêche Abraham de sacrifier son fils soit aussi l'ange Gabriel. Dans le christianisme, l'ange Gabriel annonce au prêtre Zacharie la naissance de son fils Yohanân, le futur Jean-Baptiste, précurseur du christianisme. C'est encore l'ange Gabriel qui annoncera à Marie sa future maternité virginale. Le rôle de Gabriel dans la révélation du message divin aux hommes rapproche ce personnage de Prométhée, le Titan qui intercédait auprès de Zeus en faveur des hommes, au point de leur faire don du secret du feu ; Gabriel apporte lui aussi la lumière.

En 622, l'Hégire marque le début du calendrier musulman

En 622, pourchassé par les marchands de La Mecque qui n'acceptent pas ses attaques contre le culte des divinités de la Ka'aba et refusent la conversion à sa nouvelle foi, Mahomet doit quitter La Mecque pour se réfugier avec ses compagnons à Yathrib, alors rebaptisée Al Madîna, Médine, qui signifie "la Ville". Cette émigration, véritable rupture avec le clan de Mahomet, c'est l'Hégire, à partir de laquelle débute le calendrier musulman.

LA POLYGAMIE ET LE MONOTHÉISME

Les deux premières religions monothéistes, le judaïsme et le christianisme, voient dans le mariage entre un homme et une femme le reflet de l'alliance d'un peuple, puis de l'humanité tout entière, avec un dieu unique. Le mariage est consacré, à l'image du mariage sacré mésopotamien entre le dieu Marduk et la déesse Ishtar qui garantissait le renouvellement du printemps et la fertilité des hommes, des femmes, des terres et des bétails. Le mariage monogamique apparaît ensuite comme un acte nécessaire pour se rapprocher de Dieu. Abraham n'aura qu'une épouse du vivant de Sarah. Il n'acceptera la servante Hagar comme concubine que pour faire face à la stérilité de Sarah et à sa demande. Une pratique codifiée dans les lois du roi de Babylone, Hammourabi. Pourtant, le roi Salomon épousera des centaines de femmes, sans doute pour des raisons diplomatiques d'alliances avec les peuples de la région. Néanmoins ces excès seront condamnés et Salomon considéré comme le coupable du schisme du royaume de David en deux, Juda et l'Israël du Nord.

Grégoire Ier, le pape moine
Touché par la foi, ce riche préfet de Rome, inspiré par l'humilité du mouvement monachiste de Benoît de Nursie, devient moine bénédictin et transforme ses six propriétés en monastères. En 590, les Lombards menacent Rome, le Tibre inonde la ville et les épidémies de peste se succèdent ; Grégoire est élu pape. Bientôt surnommé "consul de Dieu", Grégoire Ier, dit le Grand, définit le rôle du souverain pontife comme "serviteur des serviteurs de Dieu". Il est sans doute le créateur de la papauté médiévale.

À LA SOURCE DES DIVISIONS DE L'ISLAM

C'est la famille même de Mahomet qui sera à l'origine des guerres terribles de succession qui explosent dès sa disparition. En effet, à vingt-cinq ans, Mahomet épouse une riche commerçante de La Mecque, Khadidja, âgée de quarante-cinq ans. De Khadidja, Mahomet n'aura à son grand désespoir que quatre filles, tous ses fils étant morts en bas âge. Après le décès de Khadidja, Mahomet épouse une veuve, Sawda, et Aïsha, une petite fille âgée de dix ans. Il entre dans une culture de polygamie en contractant neuf mariages. Aux épouses officielles s'ajouteront plusieurs concubines, dont une chrétienne et une juive. Son clan est donc destiné à se déchirer. Son cousin Ali épouse sa fille Fâtima. Le couple, qui donne naissance à deux fils, Hasan et Husayn, s'oppose farouchement au clan formé par deux autres épouses de Mahomet et dont les pères, Abou Bakr et Omar, sont de proches conseillers.
Mahomet meurt soudainement en 632. Les bases de l'islam ont été jetées en l'espace d'une vingtaine d'années, mais la guerre de succession sera bien plus longue puisque, aujourd'hui encore, deux clivages divisent le monde musulman, les chiites fidèles à Ali, cousin et gendre de Mahomet, et les sunnites, fidèles aux quatre premiers califes qui succéderont au Prophète de l'islam.

L'Inde invente le zéro

Alors que les Huns venus d'Asie centrale s'attaquent à l'Inde, l'âge d'or de la dynastie des Goupta vit ses dernières années. L'Inde fait alors un don essentiel à l'humanité. En effet, vers 600, alors que le brahmanisme s'épanouit, l'Inde invente le zéro ainsi que la numérotation décimale. L'invention sera transmise au mathématicien arabe Al Kharezmi au IXe siècle et apparaîtra en Occident au Xe siècle.

Mahomet épousera neuf femmes et officialisera plusieurs concubines. Cette pratique ne s'inscrit pas dans une logique monothéiste, mais à la fois dans la culture préislamique des tribus du désert Arabique et dans une logique politique. Bien que le Prophète lui-même ait épousé neuf femmes, la réglementation coranique limitera le nombre d'épouses à quatre. En fait – contrairement aux apparences –, Mahomet aura tenté d'améliorer le sort des femmes dans cette région, en rendant obligatoire la faculté d'hériter. Cette mesure remet en cause l'existence même des clans et des tribus, puisque, si les femmes peuvent désormais se marier hors du clan, elles contribueront au morcellement des terres agricoles. Une conséquence que Mahomet, chamelier, ne ressent sans doute pas avec la même intensité que les agriculteurs. Son effet pervers s'exprimera sans doute avec le développement de la polygamie : en épousant une femme, un homme retrouve une parcelle d'héritage. Aujourd'hui encore, la *charia* (voir p. 138) n'interdit pas la polygamie et rares sont les pays musulmans qui la prohibent explicitement, à part des États laïques comme la Turquie ou la Tunisie.

L'apogée de la Chine
En 618, la dynastie Tang, l'une des plus importantes de l'histoire chinoise, rétablit le contrôle de la Chine sur l'Asie centrale, impose son pouvoir jusqu'au Turkestan, rattache les régions de Mongolie et influence considérablement la Corée et le Japon. Le confucianisme est rétabli en tant que religion d'État, mais le bouddhisme continuera de se développer pendant encore deux siècles.

LE SUNNISME, LA TRADITION DES TRIBUS

Le terme *Sunna* désigne à la fois la "piste du désert" que doivent suivre les tribus de la péninsule pour ne pas se perdre, et la "tradition des ancêtres" que les membres d'une tribu doivent suivre pour ne pas disparaître. Les sunnites se réclament de cet héritage. Ses adeptes respectent l'autorité des compagnons de Mahomet et sont partisans de l'élection d'un calife et non d'un héritage par le sang. Ils reconnaissent l'autorité des quatre premiers califes, Abu Bakr, Omar, Uthmân et Ali, et rattachent l'islam à une organisation tribale, lointaine mais dont les racines permettent d'ancrer la nouvelle foi et de la légitimer. 90 % des musulmans sont sunnites. Mais il faut prendre en compte que dans le sunnisme même existent différents mouvements et de nombreuses écoles juridiques.

LE CHIISME, L'HÉRITAGE DE MAHOMET

Environ 10 % des musulmans suivent
la tradition chiite, un système de pensée
selon lequel l'histoire de la création est
le théâtre d'une lutte perpétuelle entre
les forces de la lumière et les forces
de l'obscurité. Implantés principalement
en Iran et en Irak, ses adeptes se réclament
de l'héritage direct de Mahomet et d'Ali,
et considèrent donc comme illégitimes
les trois premiers califes reconnus par
les sunnites. Les chiites se distinguent
des sunnites par deux exigences :
la reconnaissance d'une filiation par le sang
de Mahomet et l'inscription de leur foi dans
un cycle de révélations dont les imams
reconnus sont les initiateurs, alors que
les sunnites estiment que la prophétie
de l'islam est scellée par Mahomet.

À Qom en Iran, les chiites vénèrent le tombeau
de Fatima, fille de Mahomet. Bien que 95 %
de la population de l'Iran soit chiite, la terre
privilégiée de pèlerinage des chiites se situe
en Irak. À Najaf se trouverait le tombeau
d'Ali, à Kerbala celui de Husayn, petit-fils
de Mahomet, et à Samarra aurait disparu
le douzième imam du chiisme, "l'imam caché"
censé revenir le jour du Jugement dernier
pour préparer les croyants à la résurrection.

LE KHARIDJISME

Le plus ancien des mouvements sectaires
rassemble environ 1 % des musulmans.
Ses fidèles appliquent le Coran à la lettre.
C'est-à-dire qu'ils ne laissent aucun espace
pour l'interprétation ou l'adaptation aux
réalités d'une époque. Les kharidjites
considèrent le Coran comme seul guide.
Ils n'acceptent pas d'arbitrage humain mais
uniquement divin, rejettent toute distraction,

Le Japon suit le chemin du Bouddha
Entre 593 et 628,
l'impératrice Suiko
et son neveu le prince
Shôtoku Taishi fondent
le "Chemin du Bouddha",
en édifiant de nombreux
temples. C'est le Bushidô
qui sera au cœur
de la Voie de l'âme des
samouraïs. L'influence
chinoise ne s'arrête pas
là. Le Japon adopte aussi
l'écriture chinoise,
et mêle le bouddhisme
au shintô national jusqu'à
former une religion
hybride, le ryôbu-shintô.

interdisent la consommation d'alcool, la musique et les jeux, et imposent l'ascétisme au mépris du luxe. Le terme même de "kharidjite" serait issu de l'arabe *khâridj*, "celui qui sort", et désigne les tribus qui auraient fait sécession avec Ali en refusant avant une bataille un arbitrage humain alors que seul Dieu peut décider de l'issue d'une guerre. Les kharidjites sont aussi "ceux qui sortent sur le champ de bataille" pour y défendre la foi musulmane. Leur profession de foi avance que Mahomet fut l'envoyé de Dieu mais seulement auprès des Arabes et non de tous les peuples. Aujourd'hui peu nombreux, ils sont surtout présents dans le sultanat d'Oman et dans de rares régions de l'Algérie, de la Tunisie et de la Libye, sous le nom d'Ybadites.

LE CORAN SERA RÉDIGÉ APRÈS LA MORT DE MAHOMET

Selon de nombreux commentateurs, Mahomet ne savait ni lire ni écrire. Néanmoins, il bénéficiait sans doute d'une certaine érudition puisque son enseignement prend en considération les textes juifs et chrétiens. Ce n'est pourtant pas lui qui rédigea le Coran. De 644 à 656, Uthmân, troisième calife de l'islam, successeur d'Omar, entreprend la rédaction du Coran sur la base des centaines de fragments éparpillés et surtout des cent quatorze chapitres, appelés sourates, constitués de 6 219 versets que Saïd ibn Thabit, secrétaire de Mahomet, a recueillis durant sa vie. Ce texte sacré est considéré par les croyants comme ayant été révélé à Mahomet par Dieu, par l'intermédiaire de l'ange Gabriel. C'est la source principale de l'islam, conçue durant les séjours de Mahomet à La Mecque et à Médine et définitivement rédigée en 652.

L'empire de Byzance se tourne vers l'Orient
Alors que l'existence même de l'Empire byzantin est menacée, un chef d'État lucide prend le pouvoir. Héraclius rompt avec la nostalgie de l'Empire romain et prend le titre de *basileus* (roi) au lieu d'*imperator*. Dès son avènement en 610, il concentre tous ses efforts en direction de l'Orient, mettant un terme à la stratégie de Justinien Iᵉʳ qui avait tenté avec un certain succès une reconquête de l'empire d'Occident. Héraclius fait une entrée triomphale en 630 à Jérusalem, d'où il ramène la Sainte Croix dérobée par les Perses une quinzaine d'années auparavant. Mais la fin de son règne sera témoin du début de la conquête arabe. De 632 à 677, l'Islam envahit la Syrie, la Mésopotamie, l'Égypte et l'Arménie. En 674, les armées arabes feront, sans succès, le siège de Constantinople.

Pour comprendre le Coran, il ne faut pas se limiter à une lecture religieuse, et privilégier une lecture historique. En effet, si le Coran a d'abord été rédigé à l'intention des tribus de la péninsule Arabique, il a ensuite été traduit et interprété par les populations hors d'Arabie, confrontées à l'islam soit par les conquêtes soit par les échanges commerciaux. Les premiers convertis étaient donc sans doute des juifs, des chrétiens et des zoroastriens, et la tradition musulmane fut construite par des lectures successives de la parole de Mahomet.

LES *HADÎTH*, UN CODE CIVIL ISSU D'INTERPRÉTATIONS DE LA TRADITION MUSULMANE

Le terme *hadîth* signifie "propos". Cet immense recueil de textes est supposé rassembler les actions et les propos attribués à Mahomet. C'est la *Sunna* (tradition) régie par une imitation du Prophète. En fait, ce sont des juristes successifs de l'islam qui ont constitué, "au nom de Mahomet" et non "par Mahomet" une somme de règles appuyées sur la tradition mahométane.

Le *hadîth* est un recueil d'interprétations conçu hors de la péninsule Arabique, destiné à établir des lois et des **dogmes** en conformité avec l'enseignement de Mahomet, influencé par les cultures juives, chrétiennes, zoroastriennes, hindouistes et grecques. Il en découle une profusion d'interprétations telle que, dès le IXe siècle, les théologiens de l'islam décident d'en faire le tri selon leurs sources.

LA *CHARIA*, UN GUIDE DAVANTAGE QU'UN CODE PÉNAL

Selon le Coran, Dieu a révélé une loi à chacun des prophètes fondateurs du monothéisme : Noé, Abraham, Moïse et Jésus.

Le déclin des Mérovingiens

En 614, le roi Clotaire II s'engage à choisir les fonctionnaires royaux (les comtes) parmi les propriétaires terriens des comtés concernés. En fait, Clotaire abandonne une parcelle du pouvoir royal à la noblesse terrienne. Son fils Dagobert Ier sera le dernier Mérovingien à exercer personnellement le pouvoir. De 629 à 638, poursuivant les efforts de Clotaire Ier et Clotaire II, le roi Dagobert réussit à son tour à unifier le royaume des Francs. Mais à sa mort en 639, commence le déclin des Mérovingiens.

LES ANGES TRAVERSENT LES RELIGIONS

Les Assyriens, les Babyloniens et l'ensemble des peuples de Mésopotamie vouaient une grande place à des génies ailés protecteurs.

Les dieux assyriens et babyloniens ne sont pas foncièrement mauvais. Le mal qui fait souffrir les hommes est dû à des esprits maléfiques. Des génies intermédiaires entre les dieux et les hommes protègent la maison, le temple ou le palais contre ces démons incontrôlables. Le *lamassou* est "celui qui garde sain et sauf". Les taureaux ailés surveillant les portes du palais du roi Sargon sont associés aux bons esprits, les *keroubim*. Le terme *keroubim* ou *kouribou* ("intercesseurs") se traduira par "chérubins".
L'arche d'Alliance du judaïsme aurait été protégée par deux figures en or de chérubins se faisant face, ailes déployées. Le Dieu biblique sera qualifié de "Seigneur des armées qui siège sur les chérubins".

En revenant d'exil à Babylone, les Judéens introduiront des messagers divins dans la pensée du judaïsme : des "envoyés" – en grec, *angelos*. Tous les messagers ne sont pas des êtres spirituels surnaturels, mais tous les anges et archanges peuvent faire office de messagers. Les anges n'auront de nom et de personnalité propre, comme Gabriel ou Michaël, que vers le IIe siècle. Les anges ne sont pas des sous-divinités. Il n'est donc jamais question de leur vouer un culte.

Habitué à un culte des djinns, ces génies, ou esprits protecteurs qui font office de gardiens et peuplent les bois, les airs ou les mers, l'islam ne sera pas non plus insensible aux qualités de messager de l'archange Gabriel, puisque c'est lui qui annoncera à Mahomet qu'il est l'Envoyé de Dieu (voir p. 131).

Aujourd'hui encore, nombreux sont ceux qui croient bénéficier de la protection d'un ange gardien !

Dans la conception musulmane, l'homme
serait un être faible devant ses passions.
L'homme ne serait pas capable de faire la part
du bien et du mal. Sans l'assistance divine,
l'homme ne pourrait distinguer les actions
qui permettront de vivre dans une société
juste et lui donneront accès au salut après
sa mort. Fixée au Xe siècle, la *charia* est
un mélange de principes religieux
et de traditions juridiques. À la fois code
pénal et code civil, régissant le mariage,
le travail ou encore l'héritage et la filiation,
la *charia* est davantage un code de conduite
qu'un recueil exclusivement juridique.
Elle n'a jamais été unifiée. Elle ne reflète pas
nécessairement la tradition et l'opinion
de l'ensemble des musulmans. Le mot même
n'est cité qu'une fois dans le Coran.
Une *fatwa*, un avis juridique émis par un
spécialiste religieux, ne serait pas reconnue
de manière égale par des chiites, des sunnites
ou des kharidjites. Contrairement aux idées
préconçues, la *charia* s'est d'ailleurs toujours
adaptée à son environnement historique,
géographique et social. Aujourd'hui, elle est
principalement appliquée dans le droit
de la famille, le mariage notamment. Il reste
interdit entre une musulmane et un non-
musulman. L'héritage reste inégalitaire
puisque les sœurs reçoivent la moitié
de la part dont héritent leurs frères.

Japon, l'ère de la Grande Transformation
En 645, le Japon,
influencé par la Chine
des Tang, entreprend
des réformes décisives.
C'est l'ère de la Taika,
codifiée dans le Taihô.
À l'image de la Chine,
le pouvoir impérial
japonais devient absolu.
Les terres sont
redistribuées au profit
des hauts fonctionnaires
et au détriment
de l'ancienne constitution
par familles.

LES CROYANCES FONDAMENTALES

Khadidja et son mari Mahomet affrètent
des caravanes à travers le Proche-Orient,
de l'Arabie à la Syrie, ce qui permet
à Mahomet d'entrer en contact avec des
voyageurs juifs et chrétiens et d'en découvrir
les croyances. Séduit par le concept
universaliste du monothéisme, il a sans doute
cherché à approfondir ces doctrines inspirées

des textes bibliques. Mais il n'est pas impossible que ses interlocuteurs n'aient pas eux-mêmes possédé suffisamment de connaissances sur leur propre foi.

L'enseignement de Mahomet sera plutôt progressiste comparé au mode de vie des tribus de sa région. Le Coran inscrit Mahomet dans une lignée de prophètes et de personnages essentiels à la Bible juive puis au Nouveau Testament : Adam, Noé, Abraham, Isaac, Ismaël, Jacob, Joseph, Moïse, David, Salomon, Job, Jonas, Zacharie, Jean-Baptiste et Jésus.

Les Suédois dominent la Baltique
Dès 600, les rois d'Uppsala, au nord de Stockholm, dominent la Suède. Vers 650, ils contrôlent la Finlande, la Courlande et la Prusse orientale. Tout le commerce de la mer Baltique est entre leurs mains.

LES CINQ PILIERS DE L'ISLAM
La tradition de l'islam s'appuie sur cinq principes qui définissent les obligations d'un musulman. Ces "piliers" de l'islam ont pour objet de permettre à cette religion d'être adoptée par des fidèles, quels que soient leur nationalité ou le lieu où ils vivent.
Les trois religions monothéistes partagent cette vision universelle de la foi, et ces cinq piliers de l'islam ne sont pas en contradiction avec ceux du judaïsme ou du christianisme, à l'exception peut-être de l'obligation d'un pèlerinage à La Mecque. Un juif préférera se rendre Jérusalem et un chrétien à Lourdes, Rome ou Bethléem.

Un Dieu unique
Le croyant ne reconnaît pas l'existence d'autres divinités que Dieu et considère Mahomet comme l'"Envoyé de Dieu".

Cinq prières par jour
Dès la puberté, les hommes sont tenus de pratiquer cinq prières : une à l'aube, la seconde à midi, la troisième en milieu d'après-midi, la quatrième au coucher du soleil et la cinquième avant de se coucher.

L'aumône

Ce don en nature ou en espèces est destiné principalement au bien-être de la communauté et peut être offert à des non-musulmans.

Le jeûne

Durant le mois de Ramadan, les musulmans célèbrent la révélation du Coran. Ceux ayant atteint l'âge de la puberté se doivent de jeûner et de s'abstenir de relations sexuelles durant la journée, du lever au coucher du soleil. Cette obligation peut être décalée selon l'état de santé d'une personne ou sa nécessité de voyager.

Le pèlerinage à La Mecque

Se rendre en pèlerinage une fois dans sa vie à la Ka'aba est une nécessité. C'est la possibilité pour un musulman ou une musulmane d'être pardonné pour ses péchés.

Les Lombards envahissent l'Italie
Les Lombards, peuple germanique venu de Scandinavie et installé sur les rives de l'Elbe, fondent un premier royaume sur les rives du Danube entre les Alpes orientales et les Carpates, avant de franchir les Alpes en 568, d'envahir l'Italie et d'y fonder un second royaume. Ils prennent Pavie, s'établissent dans la plaine du Pô, ainsi qu'en Toscane du Nord, en Ombrie, à Spolète et à Bénévent. L'Italie se trouve divisée en deux parties, lombarde et byzantine.

QU'EST-CE QU'UNE MOSQUÉE ?

La mosquée, *masjid* en arabe, est un "lieu de prosternation". Les musulmans pratiquants s'y rendent généralement le vendredi pour le rituel de la prière, le second des cinq piliers de l'islam. La maison du prophète Mahomet est considérée comme la première mosquée connue. C'est néanmoins la mosquée de Damas, édifiée entre 706 et 715 par le calife omeyyade al-Walîd, qui servira de modèle aux mosquées futures.

Les mosquées sont décorées de calligraphies et de formes géométriques dont le symbole reflète l'infini divin. La représentation d'images figuratives n'est pas interdite dans l'islam, puisqu'elle est courante dans les pays musulmans, mais ne trouve pas sa place dans une mosquée puisque ce "lieu de prosternation" est entièrement consacré

à Dieu, une divinité omniprésente que l'on
ne peut représenter.

Dans une mosquée, le mur qui fait face
aux fidèles indique la direction sacrée
de La Mecque, la *qibla* vers laquelle les fidèles
doivent se tourner pour prier. On trouve aussi
dans chaque mosquée le *minbar*, ou "chaire
à prêcher" où l'imam, "celui qui est devant",
dit la *khutba*, le sermon. Symbole
de la présence de l'islam dans une ville
ou dans un pays, le minaret, ou *manâra*
(l'"endroit où brûle un feu, où il y a
de la lumière"), reste le lieu le plus notable
d'une mosquée. Surplombant la mosquée
de plusieurs étages, le minaret est utilisé par
le muezzin pour lancer l'appel à la prière.

Se libérer du cycle des renaissances : le bouddhisme ou l'ère de l'Éveil

Vers - 560 naît au nord de l'Inde un prince nommé Siddhârta, dont l'expérience spirituelle bouleversera l'ensemble des systèmes de pensée en Inde, en Chine puis dans toute l'Asie. Mais aux VIᵉ et Vᵉ siècles avant l'ère chrétienne, c'est le monde entier qui est en pleine mutation spirituelle et philosophique. En Judée, la pensée monothéiste se rigidifie pour survivre ; à Athènes, la démocratie se renforce ; Rome devient une république et les idées de Zarathoustra révolutionnent la société perse.

LE BOUDDHA, UN MÉDECIN SPIRITUEL CHARGÉ DE GUÉRIR LA SOUFFRANCE

À seize ans, le jeune prince, dont on avance que la conception fut immaculée et l'enfantement virginal, quitte le palais familial de Sâkya, au nord de l'Inde, comme on s'échappe du jardin d'Éden. Dans le monde, il fait la connaissance des trois maux inéluctables qui affligent l'humanité : la souffrance, la vieillesse et la mort, à travers lesquels il découvre le caractère éphémère de la vie. À quarante ans, celui qui sera désormais nommé le Bouddha – "l'Éveillé" –, reçoit l'inspiration des Quatre Vérités alors qu'il médite sous un figuier.

LE MONDE AU TEMPS DU BOUDDHA

Naissance légendaire du Japon

Selon deux livres sacrés rédigés au VIIIᵉ siècle de notre ère, le *Kojiki* et son complément, le *Nihongi*, l'empire du Soleil-Levant aurait été fondé le 11 février de l'an 660 avant J.-C. par le prince Jimmu Tenno, après sa victoire sur le royaume de Yamato. Considéré comme descendant de la déesse du soleil, Amaterasu Omikami, divinité principale du culte shintô. Tous les empereurs du Japon sont considérés comme des descendants de Jimmu Tenno.

La première : Tout ce qui est éphémère
est souffrance.
La seconde : Le désir est à l'origine
de la souffrance.
La troisième : Abolir le désir, c'est abolir
la souffrance.
La quatrième Vérité est celle de la "Voie
du milieu" qui, grâce à l'abstention de tout
péché du corps ou de la pensée, à la tranquillité
d'esprit et à la sagesse, permet la destruction
de la douleur.
En fait, Bouddha ne propose pas aux hommes
une religion nouvelle, mais un système
de pensée destiné à se libérer des souffrances
de l'existence.

LE *KARMA*, UN CASIER JUDICIAIRE SPIRITUEL

Le processus de réincarnation
ou de renaissance d'une âme est gouverné
par les lois du *karma*. Selon la philosophie
du Bouddha, les êtres renaîtraient
en fonction de la nature et des qualités
de leur vie passée. Cet héritage, cette sorte
de casier judiciaire spirituel, c'est le *karma*.
Les personnes pauvres, très laides
ou souffrant d'un handicap auraient hérité
d'un "mauvais *karma*" en raison de leurs
actions passées. Mais ce n'est pas une raison
pour juger et condamner dans cette vie
actuelle ceux qui ne feraient – selon
le bouddhisme – qu'assumer le résultat
de leurs fautes passées. Une personne
très avare renaîtra dans un être pauvre ;
une personne violente ou haineuse renaîtra
dans l'enfer de la folie ou l'existence d'un
animal. La loi du *karma* apparaît comme
une loi naturelle qui gère les actes humains.
Il ne s'agit pas de bien et de mal, mais
simplement d'actions qui, inévitablement,
mènent à telle ou telle forme de renaissance.

Ainsi parlait Zarathoustra
Né vers - 630, dans
une province de l'actuel
Afghanistan, Zoroastre
(ou Zarathoustra)
s'engage, à la suite d'une
révélation, dans une
réforme sociale et
religieuse de la société
mède et perse. Il tente
de libérer le peuple
des croyances courantes
dans les démons et autres
divinités locales, s'oppose
aux sacrifices d'animaux
et tend à l'affirmation
d'un seul dieu invisible
et juste qui aurait créé
le monde. Le zoroastrisme,
comme le judaïsme,
a un aspect apocalyptique
d'affrontement entre
les forces du mal et celles
du bien, et annonce
l'avènement futur
d'un âge d'or.
La pensée de Zoroastre
dominera la zone persane
pendant près d'un
millénaire, depuis
l'avènement en - 559
de Cyrus le Grand, jusqu'à
la conquête de la Perse
par les Arabes en 651
de l'ère chrétienne.

La loi du *karma* est pratiquement une loi physique. S'y soumettre pourrait entraîner une sorte de fatalisme, un renoncement à changer ou améliorer son propre destin et celui des autres. En fait, si l'on veut bénéficier d'une renaissance favorable, il est nécessaire – dans cette logique – d'améliorer son *karma* par ses actions dans la vie présente.

LE BOUDDHA N'EST PAS UN DIEU

Le Bouddha est un simple être humain. Bouddha n'est pas un nom propre mais désigne l'Illuminé ou l'Éveillé. Gautama (le nom du Bouddah) et ceux qui le suivront, génération après génération, seront qualifiés à leur tour de Bouddhas.
Le Bouddha est un être humain qui a réalisé l'Illumination, censé transcender le monde qui l'entoure et sa propre humanité. Comme Jésus ou Moïse, le Bouddha accomplira aussi des "miracles", faisant jaillir de l'eau et de feu de son propre corps, guérissant ses adeptes par la force de son psychisme et soignant des blessures sans laisser de cicatrices. Enfin, le Bouddha comme Jésus traversera une rivière en marchant sur l'eau !

Le temple de Jérusalem est détruit
- 587, Nabuchodonosor II s'empare de Jérusalem, et détruit le fameux temple de Salomon. Les Judéens sont exilés, notamment à Babylone. La disparition de l'unique lieu saint du monothéisme, la perte dans l'incendie de l'arche d'Alliance et des Tables de la Loi qu'elle contenait, vont transformer la pensée juive et introduire le concept de prière, l'idée de renaissance du peuple à travers le rassemblement des douze tribus d'Israël et l'attente d'un sauveur universel annonciateur d'un âge d'or.

Naissance de la démocratie athénienne
Entre - 509 et - 507, un Athénien, Clisthène, réforme profondément la vie sociale et politique de sa cité selon des règles qui permettront d'instaurer la démocratie. Clisthène fonde celle-ci sur la garantie de droits égaux pour tous les citoyens. Il ouvre les circonscriptions territoriales aux "métèques", c'est-à-dire aux étrangers. La peine de mort, "humanisée", ne peut être infligée que par empoisonnement, la torture est interdite… pour les hommes libres. Il instaure l'ostracisme, ou exil pour dix ans d'un homme politique dont l'ambition ou la puissance peut sembler dangereuse pour la cité.

La Voie des dieux : le shintoïsme

Le bouddhisme ne sera introduit au Japon que vers le VIᵉ siècle. La religion du Japon est d'abord définie par le shintoïsme. Le shintô est davantage un mélange de croyances et de rites issus de l'aube du Japon qu'une religion dans le sens occidental du terme. Le shintoïsme apparaît comme le respect d'un héritage culturel organisé autour d'un ensemble de rites consacrés aux *kami*, les dieux du Japon. Le shintoïsme étant animiste, c'est-à-dire régi par les forces surnaturelles contenues dans tous les aspects de la nature, il est possible d'être bouddhiste ou chrétien et de s'estimer shintoïste.

Dans la pratique, les rites shintô accompagnent le plus souvent les étapes bénéfiques de la vie : naissance, anniversaires, mariage ou encore achat d'une maison. Les étapes les plus douloureuses de la vie, la maladie ou la mort, sont accompagnées par des rites bouddhistes. La pensée shintô est en effet concentrée sur la vie présente alors que le bouddhisme est consacré à la gestion de l'après-mort.

Le shintô est la "Voie des *kami*". Les *kami* forment un panthéon divin. Divinités du ciel et de la terre, comme la déesse solaire Amaterasu, le dieu lunaire Tsukiyoni, et Susanoo, celui de la tempête, qui règne sur la mer. Mais la notion de *kami* désigne d'abord les manifestations de la nature. Le terme même existait avant l'émergence du shintoïsme.

C'est à ces puissances de la nature,
de véritables divinités de proximité,
que les Japonais demandent une protection.
Le shintoïsme est d'abord un code moral
organisé autour du respect de la nature
et notamment des rizières, du respect
des anciens transcendé par un culte
des ancêtres.
Il s'agit d'une philosophie de vie qui forgera
le Bushidô, ou "Voie du samouraï",
et le Budô, la "Voie de l'âme". La loyauté,
le mépris de la mort et la maîtrise de soi font
office de rites de passage. Le devoir est élevé
au rang de culte et la nation au rang
de divinité.

L'hindouisme, une religion à mille cultes

L'hindouisme n'est pas une religion mais le rassemblement d'un ensemble de courants religieux qui ont traversé l'Inde depuis environ quatre millénaires. Le terme même d'hindouiste n'est que la traduction de l'arabe *hendaya* ou du perse *hindu*. Ce n'est qu'au XIXe siècle qu'un hindou, Râm Mohan Roy, séduit par l'aspect doctrinal des autres religions – judaïsme, christianisme, protestantisme ou encore mahométisme –, crée le terme "hindouisme" sur la base du nom du fleuve Indus. Le suffixe "isme" donne l'impression d'une religion unitaire. Pourtant il n'est pas question d'un hindouisme mais de plusieurs hindouismes. L'hindouisme ne revendique aucun fondateur, n'a aucun clergé et suit l'enseignement de plusieurs livres sacrés différents. Il s'agit d'un système culturel et religieux qui n'est pas centralisé autour d'une autorité mais rassemble tout de même sept cents millions de fidèles qui font de cette communauté la troisième religion du monde après le christianisme et l'islam.

Six principaux systèmes de pensée religieux guident l'hindouisme dont, par exemple, l'école de maîtrise appelée yoga. La "Voie du yoga" inclut le contrôle de soi, l'ascétisme, les postures bienfaisantes du corps, le contrôle du souffle et la capacité à se couper du monde extérieur.

L'HINDOUISME EN CHIFFRES :

L'hindouisme s'est développé en quarante siècles, depuis l'invasion de la région de l'Indus par les tribus aryennes et leur installation dans le bassin du Gange jusqu'à aujourd'hui. L'hindouisme est le résultat d'une fusion entre les cultes religieux autochtones et les apports indo-européens.

DES MILLIERS DE DIEUX
MAIS UNE TRINITÉ !

L'hindouisme est organisé autour de milliers de divinités. Aujourd'hui le culte se recentre autour d'une trinité *(trimurti)* composée par Brahmâ, symbolisant la force créatrice, Vishnou, le protecteur de la vie et Shiva, la destruction régénératrice. Malgré cet aspect polythéiste, il est important de rappeler que tous les dieux émanent d'une seule force cosmique créatrice.

La tradition comporte une multitude de fêtes, dont les dates sont fixées selon un calendrier qui combine le cycle de la lune et celui du soleil. La fête du Nouvel An, ou *Divâlî*, est célébrée en octobre ou novembre. Krishna est honoré en février dans l'ambiance de carnaval qui entoure la fête de *Holî*. Râma est honoré à l'équinoxe de printemps, Râma Nâvami, en mars ou en avril, et les déesses Sarasvatî et Lalitâ sont vénérées en même temps que les ancêtres familiaux, à l'équinoxe d'automne, en septembre ou en octobre. En août ou en septembre sont célébrées pendant le mois hindou de *Bhâdrapada* la naissance de Ganesha et celle de Krishna, à qui une *pûjâ*, ou service du culte, comportant des mantras (prières) est offerte.

Brahmâ, le dieu créateur

Monté sur une oie sauvage, symbole de la connaissance, Brahmâ, le dieu à quatre visages, regardant vers les quatre points cardinaux, est le créateur de l'univers. L'eau, le feu, la fleur de lotus dont il est né sont ses attributs.

Vishnou, le dieu préservateur

Vishnou est le dieu cosmique par excellence. Ses pas marquent la course du soleil dans le ciel. Préservateur du monde, Vishnou vient au secours de l'humanité lorsque l'ordre

L'hindouisme est organisé sur un système de castes ou *jâti* (familles). Quatre grandes classes sociales, *varna* (couleur), forment la société hindouiste : les brahmanes chargés de la culture, les savants et détenteurs de la parole sacrée ; les *kshatriya* ou guerriers, rois, râdjas, maharâdjas et chefs des armées ; les *vaishyans*, formant la caste des éleveurs agriculteurs et marchands ; et la quatrième classe sociale, les "intouchables", des subalternes qui sont chargés de tous les métiers qui mettent en contact avec des matières impures, éboueurs, fossoyeurs, tanneurs... Placés à la marge de la société, les intouchables peuvent même consommer du porc.

LA TRINITÉ, UNE FORMULE RELIGIEUSE
PARTAGÉE PAR DE NOMBREUSES CROYANCES

Le christianisme a élevé la Trinité au rang de dogme. Le Dieu unique se reconnaît désormais en trois représentations : le Dieu créateur de toutes choses, "le Père", héritage de la pensée juive ; Jésus, son "fils", qui exprime l'action divine à travers un temps historique ; et le Saint-Esprit, la force de la foi conservatrice du monde. Il ne s'agit pas de trois divinités mais de trois aspects d'une divinité unique. Néanmoins cette organisation formulée au concile de Nicée en 325 ne deviendra un dogme de l'Église que vers le XIᵉ siècle. La Trinité ne sera néanmoins pas acceptée par l'ensemble du monde chrétien. Les orthodoxes par exemple y verront une formulation contraire au monothéisme.

La religion d'Ougarit, de Tyr ou encore de Byblos (région du Proche-Orient nommée Phénicie par les Grecs) est aussi organisée autour d'une trinité équivalente. Ashérat, grande déesse de la mer, mère de tous les dieux, El son mari, le dieu du ciel, et Baal, le dieu de la terre. El est le Père, Baal est le Fils et Ashérat l'équivalent de l'Esprit saint.

L'hindouisme s'appuie aussi sur une trinité, sur trois divinités différentes mais complémentaires qui représenteraient en fin de compte les trois aspects d'un même dieux : Brahmâ, Vishnou et Shiva.

Les tribus préislamiques vouaient un culte à une trinité dans le sanctuaire de la Ka'aba à La Mecque. Il s'agit d'une triade formée de trois déesses : la déesse du ciel, Al-Lât, la toute-puissante Al-Ozzâ, et Manat, la maîtresse des destins, entourée des effigies de 360 divinités.

La mythologie grecque et romaine donne une place essentielle au principe de trinité. Lors de la création du monde naît le destin de l'union de la nuit et d'Érèbe, fils du chaos. C'est alors que paraissent les trois Parques. Trois visages de la déesse lune, les Parques filent le destin des hommes. Clotho, la fileuse, déroule le fil de l'existence. Lachésis noue les destinées et Atropos tranche le moment venu le fil de la vie.

Chez les Grecs, les déesses Coré, Perséphone et Hécate forment une trinité représentant la déesse triple sous les trois aspects de la femme et de la vie en général : la jeune vierge, la nymphe, et la vieille femme. N'est-il pas aussi intéressant que Perséphone, qui quitte le monde souterrain à chaque printemps, soit assimilée à la colombe, cette même colombe qui indiquera à Noé la fin du déluge et symbolisera le Saint-Esprit ?

cosmique traverse des périodes de chaos.
C'est d'ailleurs à la demande de Vishnou
que Brahmâ crée le monde. Un monde prévu
pour s'éteindre au bout de trois milliards
d'années. Un nouveau Brahmâ créera alors
un nouvel univers à la demande d'une autre
divinité. En Inde, Vishnou est parfois
comparé à Jésus. Les adorateurs de Vishnou
portent sur le front une *tirunama*, deux lignes
blanches peintes partant du nez pour former
un U partagé par un trait rouge. Ce signe
religieux est censé représenter l'empreinte
du pied de Vishnou. Ses fidèles marquent
aussi leur front d'un triangle inversé pour
symboliser l'énergie de l'eau et du principe
féminin qui les animent.

Plus de 80 %
de la population de l'Inde
et plus de 10 %
de la population
mondiale est hindouiste,
soit 700 millions
de fidèles.

Shiva, le dieu destructeur

Shiva le rouge est un dieu terrible
de la destruction mais en même temps celui
de la régénérescence du monde. À la fois
créateur, destructeur et maître suprême
de l'univers, Shiva porte un troisième œil.
La danse du renouvellement du monde rend
hommage à Shiva ; il s'agit, selon
l'hindouisme, de la danse la plus ancienne
du monde. Les adorateurs de Shiva portent
une *tripundra*, trois lignes blanches horizontales
tracées sur le front, ainsi qu'un triangle,
pointe en haut, symbolisant le principe
masculin ou encore deux triangles entrelacés
exprimant l'union des énergies féminine
et masculine.

Kâlî, la déesse mère

Dispensatrice de vie et de mort, la plus
effrayante divinité de l'hindouisme, Kâlî,
considérée parfois comme l'épouse de Shiva,
est souvent représentée tirant une langue
rouge, portant un collier de crânes de démons
tranchés à l'aide de son cimeterre. Il y a peu
de temps encore, la secte des Thugs
accomplissait des sacrifices humains
en faveur de Kâlî, en étranglant ses victimes.
Malgré son apparence terrifiante, Kâlî est
considérée comme la plus aimante de toutes
les déesses de l'hindouisme. Ses fidèles
la perçoivent comme la "Mère de l'univers"
car à travers son attitude redoutable,
ils décèlent une force formidable
de protection. Kâlî, la Mère divine, représente
l'énergie cosmique d'un univers toujours
en mouvement. Elle est souvent décrite
debout sur le corps de Shiva, esprit éternel
du non-changement, de l'immobilité
de la vie sans la mort.

Trente mille ou trente millions : tout le monde s'est arrêté de compter le nombre des divinités qui règnent sur l'hindouisme !

Les soldats de la pureté : le sikhisme

Le mot "sikh" signifie "disciple". L'accent est en effet mis sur la doctrine de ferveur religieuse, de quête intérieure libérée de toute idolâtrie.

La voie la plus populaire du sikhisme est celle du guru Nânak qui reçut du dieu suprême la mission d'aller porter sa parole au monde ; un aspect prophétique de la religion comparable au modèle biblique de Moïse ou d'Abraham, ou encore au modèle coranique de Mahomet. Après une disparition de trois jours, le guru Nânak prêchera : "Il n'y a ni hindous ni musulmans."

Créé par le dixième guru du sikhisme, l'ordre marial de Khâlsa ou "organisation de la pureté" exige de ses fidèles le port des cinq K, aujourd'hui considérés comme les emblèmes du sikhisme. La barbe et les cheveux ne doivent jamais être coupés. La chevelure est rassemblée dans un turban rituel coiffé par un peigne en bois. Le fidèle doit aussi porter à tout moment le *kirpân*, un poignard, le *karâ*, un bracelet en métal et le *kaccha*, un pantalon court.

Néanmoins, le sikhisme n'a pas commencé avec le guru Khâlsa. C'est un mouvement religieux issu d'un mélange de cultures. Né au XVe siècle dans le Penjâb, une région de l'Inde et du Pakistan, le sikhisme est une synthèse de l'islam et de l'hindouisme.

LE MONDE AU TEMPS DE NÂNAK (1469-1539), PREMIER GURU DU SIKHISME

1453
Constantinople, considérée comme le dernier rempart de la chrétienté face à l'islam, tombe aux mains du sultan ottoman Mehmet II. C'est la fin de l'Empire romain d'Orient.

1455
Johannes Gensfleisch, plus connu sous le nom de Gutenberg, réalise le premier livre imprimé, une Bible en dix exemplaires.

1472
Massacre de la Saint-Barthélemy : le 24 août, les catholiques partisans de Charles IX égorgent à travers la France plus de 30 000 huguenots (les protestants) hommes, femmes et enfants.

1487
Naissance du futur Ismaël Ier qui imposera l'islam chiite à la Perse, notamment pour unir le royaume contre la pression ottomane.

Le monothéisme en est un dogme fondateur mais, comme dans le bouddhisme, le but suprême de l'existence est de se libérer du cycle des réincarnations. L'alcool et les jeux de hasard sont prohibés. Mais si les hommes portent le turban, les femmes ne sont pas contraintes de se voiler.

Le livre saint des sikhs, l'*Âdi Granth*, est plus proche des mythologies hindoues que du Coran. Le sikhisme n'a pas de clergé et ses rites sont accomplis par des initiés appartenant à la communauté.

Les fêtes sikhs s'inscrivent dans le développement historique de la foi et suivent le calendrier lunaire. Elles commémorent notamment la naissance et le martyre des principaux gurus : la naissance du guru Nânak en novembre, celle du guru Govind Singh en décembre, le martyre du guru Arjun Dev en mai et celui du guru Tegh Bahâdur en décembre. Le 13 avril est célébrée la fondation de la fraternité sikh du Khâlsa.

1492
Le 12 octobre, Christophe Colomb accoste aux Bahamas, un archipel qu'il prend pour les îles japonaises. Deux semaines plus tard, il aborde à Cuba et, fin décembre, échoue à Saint-Domingue. Il ne sait pas encore qu'il vient de découvrir le continent américain.

1506
Léonard de Vinci peint *La Joconde*.

1515
Bataille de Marignan : François Ier a raison des mercenaires suisses et entre à Milan.

1505
Après avoir conquis Kaboul, le roi du Turkestan, Zahir ud-din Muhammad, surnommé "Bâbur", s'attaque au Pendjab, terre du sikhisme.

1526
L'Empire moghol est fondé par Bâbur (le Tigre), un descendant de Gengis Khan par sa mère, en défaisant le dernier sultan de Delhi.

1598
L'édit de Nantes promulgué par Henri IV veut mettre fin aux guerres de religions (catholiques contre protestants), accordant la liberté de conscience et le droit de culte. Louis XIV révoquera définitivement cet édit en 1698.

Qu'est-ce que la laïcité ?

On ne peut parler de religions sans aborder le principe de laïcité. Celle-ci est en effet la concrétisation d'une histoire millénaire des relations entre les Églises et la France, entre le Vatican, les rois et les empereurs, entre le pouvoir clérical et le pouvoir politique. La laïcité ne se décrète pas du jour au lendemain. Elle doit se comprendre avant d'être imposée. C'est un goût acquis de la liberté individuelle et non le résultat d'un tabou. D'ailleurs, le mot "laïcité" est un terme francophone, qui n'a d'équivalent ni en anglais, ni en allemand, ni en arabe ni en hébreu.

La laïcité n'est pas l'athéisme. Ce n'est pas l'absence de religions, mais la séparation entre le pouvoir temporel des institutions politiques et le pouvoir intemporel des diverses religions. Un espace laïc est un espace neutre qui ne s'oppose à aucune philosophie et aucune croyance. La neutralité de la laïcité, c'est la garantie d'un traitement équitable et égalitaire des croyances, quelles qu'elles soient. Mais cela n'implique pas l'acceptation dans la sphère publique de cultes ou de philosophies qui se trouveraient en rupture et parfois en contradiction avec les règles fondamentales de la République : égalité entre les hommes et les femmes, mixité, garantie des droits de l'enfant, accès à l'éducation et aux traitements médicaux… Selon la laïcité, la pratique religieuse s'exprime dans la sphère privée. Un concept difficile à appréhender pour des religions qui ne font pas de différence entre les lois religieuses et les lois de la République.
Aujourd'hui, la diversité culturelle née de l'effacement des frontières et de la libre circulation des êtres et des idées dessine un monde nouveau. Les religions ne sont plus attachées à une terre mais

voyagent avec leurs fidèles, chacun apportant avec lui ses bagages spirituels. La laïcité est la seule garantie que chacun puisse exprimer et pratiquer sa culture religieuse en toute liberté. Cette liberté-là exige à chacun de ne pas tenter d'imposer sa propre croyance à d'autres ni espérer que ses propres attentes culturelles soient supérieures aux attentes de la laïcité elle-même : la coexistence apaisée des religions et des philosophies et la préservation de la cohésion sociale de la nation autour des règles de la République.

Les religions tentent de répondre aux questions fondamentales de l'humanité touchant notamment à la perpétuation de la vie et au sort des hommes après la mort.
Une préoccupation qui se situe hors du temps. Le principe de laïcité a la responsabilité de permettre la coexistence équitable des êtres humains entre eux. Cette préoccupation existe au jour le jour, dans tous les aspects de l'organisation de la société.
En France, la loi de séparation des Églises et de l'État a concrétisé le 9 décembre 1905 la réflexion qui depuis Charlemagne a mené au concept de laïcité. Fondement de la République et de la laïcité, cette loi s'adresse aujourd'hui à toutes les religions quels que soient le nombre des fidèles et leur niveau de piété. En fait, les systèmes de pensée religieux libèrent l'âme et la laïcité libère l'homme. Deux valeurs qui se complètent et sont désormais indissociables, car si la diversité culturelle est irréversible autant qu'enrichissante, la laïcité reste l'expression d'une société mature et humaniste.

Petit lexique

ABRAHAM
Personnage biblique auquel Dieu
promettra une descendance
nombreuse et l'accès à une terre,
à travers une alliance scellée par
la circoncision. Son épouse Sarah
enfantera Isaac, père de Jacob,
ancêtre des douze tribus d'Israël.
Hagar, la servante de Sarah,
enfantera Ismaël, présenté comme
l'ancêtre des tribus arabes.

ADAM ET ÈVE
Selon la Genèse, Adam sera
le premier homme et Ève la seconde
femme après Lilith. Adam et Ève
auront trois fils : Abel le berger
nomade, Caïn le cultivateur
sédentaire, puis Seth, supposé
remplacer Abel, tué par Caïn.

ÂGE DU BRONZE
À la fin du Néolithique, l'homme
allie l'étain et le cuivre : c'est l'âge
du bronze qui s'étendra entre
le IVe et le Ier millénaire.

AHURA MAZDÂ
C'est dans une région couvrant
l'actuel Iran, l'Afghanistan et une
partie de l'Asie centrale que s'est
développé le mazdéisme, une
religion dont le dieu principal
Ahura Mazdâ organise le monde
selon une dualité harmonieuse.

AKKADIEN
Le royaume d'Akkad fondé
au IIIe millénaire par Sargon l'Ancien
sera la capitale d'un empire au nord
de Babylone (dont les Akkadiens
sont aussi les fondateurs). La langue
akkadienne influencera l'ensemble
de la Mésopotamie du IVe au Ier
millénaire av. J.-C.

AMON
Dieu égyptien de la fécondité,
à tête de bélier. À Thèbes, Amon
est l'œil du soleil.

ANTIOCHUS IV
Antiochus IV Épiphane, c'est-à-dire
l'"Illustre" règne de - 175 à - 164
sur une partie du Proche-Orient
et notamment la Judée qu'il va
tenter d'helléniser avec violence,
ne parvenant qu'à provoquer
la fameuse révolte juive
des Macchabées.

ANU
Dieu du ciel de la mythologie
mésopotamienne.

ANUBIS
Dieu égyptien à tête de chacal,
Anubis guide les âmes des morts
vers l'Autre monde dont il est aussi
le juge. Dieu des prêtres
embaumeurs, Anubis est le fils
d'Osiris et le frère d'Horus.

APSOU ET TIAMAT
Selon la mythologie
mésopotamienne, Apsou représente
l'eau douce primordiale et Tiamat
l'eau salée des océans. De leur
union naîtront les dieux dont
le puissant Marduk, protecteur
de Babylone.

ARIANE
Ce nom signifiant "très pure"
désigne la fille du roi de Crète
Minos, qui permit au héros
athénien Thésée de sortir
du labyrinthe après avoir tué
le Minotaure.

ASSURBANIPAL

Roi d'Assyrie de - 669 à - 627,
Assurbanipal est connu pour avoir
fondé la cite de Ninive et constitué
la première bibliothèque.

ASSYRIE

Cet empire situé au nord de la
Mésopotamie du XVe au VIIe siècle
dominera un temps le Proche-
Orient. Un de ses rois, Sennachérib,
détruira Samarie, capitale de l'Israël
du Nord, et déportera une grande
partie des dix tribus israélites qui
y vivaient.

ATON

Représenté par un disque solaire
dont les rayons se terminent par
des mains, Aton aura son heure
de gloire sous le règne du pharaon
Thoutmosis IV, surnommé
Akhenaton, qui tentera d'installer
son culte au détriment de celui
d'Amon. Cette tentative
de monolâtrie (culte d'une idole
principale) s'achèvera avec la mort
du pharaon.

BAAL

Dieu des montagnes, puis de la
terre, de la mer et de la tempête,
Baal, qui renaît à chaque printemps,
est répandu à travers tout l'Orient
biblique. Son nom signifie
"seigneur" ou encore "époux".

BABYLONE

Bab-ilu, en akkadien "la porte
des dieux", traduit en hébreu
par "Babel" (Babylone), construite
sur la rive droite de l'Euphrate,
sera la splendide capitale d'empires
successifs aux rois de légende,
comme Nabuchodonosor, puis
le Perse Cyrus et le Macédonien
Alexandre le Grand.

BÉDOUIN

Les Bédouins sont des tribus
de pasteurs nomadisants,
dans les zones désertiques
du Proche-Orient.

BUISSON ARDENT

C'est sur le mont Sinaï que Dieu
interpelle Moïse sous la forme
d'un buisson "qui brûle mais
ne se consume pas".

CANAAN

Le pays de Canaan est bordé
à l'ouest par la mer Méditerranée
et à l'est par la vallée du Jourdain
et la mer Morte.

CATHOLIQUE

Le terme "catholique" signifie
"universel", sans doute parce que
d'abord les sept épîtres du Nouveau
Testament tenant de la pensée
de Paul s'adressaient non
à une personne ou un groupe
de personnes déterminées, mais
aux chrétiens, et peut-être aux
non-chrétiens dans leur ensemble.

CERBÈRE

Gardien de la porte des enfers
selon la mythologie grecque,
ce chien à trois têtes ne permet
qu'aux défunts d'entrer dans
le monde souterrain et leur interdit
d'en ressortir.

CHTONIEN(NE)

Une divinité chtonienne règne
à la fois sur la terre et dans
le monde souterrain. À l'image
de Perséphone ou de Baal,
qui vivent en enfer durant l'hiver
et sur terre dès le printemps,
les divinités chtoniennes
symbolisent la dualité
complémentaire de la vie
et de la mort.

CLERGÉ

Le clergé représente l'ensemble des représentants d'une religion.

CONFUCIANISME

Confucius vécut en Chine entre - 551 et - 479. Son enseignement, qui se distingue par la recherche d'une harmonie des relations humaines, sera érigé en religion d'État au IIIᵉ siècle puis rejeté sous Mao-Tsé-Toung au XXᵉ siècle.

CONSTANTIN LE GRAND

Empereur romain de 306 à 337. La légende veut qu'à l'occasion d'une bataille décisive pour sa couronne, Constantin Iᵉʳ ait vu dans le ciel le monogramme de Jésus-Christ accompagné de cette promesse : "Par ce signe, tu vaincras." Constantin officialisera le christianisme de l'Empire. Lui-même se convertira sur son lit de mort.

CYRUS LE GRAND

Fondateur de l'Empire perse, Cyrus le Grand (- 559 / - 530) fera la conquête de l'Asie centrale, du Proche-Orient et notamment de Babylone. Il libérera les Judéens exilés à Babylone par Nabuchodonosor une cinquantaine d'années plus tôt et les autorisera à retourner à Jérusalem pour y reconstruire le temple de Salomon.

DAGAN

Divinité agraire qui donnera son nom au blé. Dagan est au IIIᵉ millénaire une grande figure du panthéon proche-oriental.

DAMAS

Capitale d'un petit État vers l'an 1000, Damas, soumise un temps à David puis à Salomon, sera écrasée en - 721 par Sargon II, roi d'Assyrie. Damas est aujourd'hui la capitale de la Syrie.

DARWIN

Naturaliste anglais, Charles Darwin (1809-1882) établira une théorie sur l'évolution des espèces et démontrera que les espèces vivantes évoluent grâce à un processus de sélection naturelle. Son explication d'un destin unifié de la vie a révolutionné la biologie et interpellé les religions.

DÉMÉTER

Déesse du blé, fille de Cronos (le temps) et de Rhéa (la terre), Déméter est une des divinités suprêmes du panthéon grec.

DEUCALION

Fils de Prométhée, Deucalion est l'équivalent dans la mythologie grecque du Noé biblique.

DIASPORA

Issu du terme hébreu *Galout* signifiant d'abord "exil" et parfois "captivité", la diaspora exprime la dispersion, ou la situation d'un peuple qui ne vit pas sur sa terre mais dont les membres restent en contact entre eux sans pour autant vivre en communauté.

DIONYSOS

Dieu de la vigne, Dionysos naquit de la cuisse de Zeus, après que sa mère Sémélé mourut d'avoir contemplé le dieu des dieux dans toute sa splendeur.

DJEDDA

Cité portuaire d'Arabie Saoudite, située au nord de la mer Rouge.

DOGME

Un dogme est une règle fondamentale et incontestable

d'une philosophie ou d'une religion. Il ne peut accepter le doute ou la critique au risque de disparaître.

EA
Selon la mythologie babylonienne, Ea est le dieu des eaux. Il est le père du dieu protecteur de Babylone Marduk.

ENLIL
Enlil est le dieu babylonien de la Terre. Il sera un des instigateurs du déluge.

ESHNOUNA
Cité mésopotamienne conquise vers - 1750 par Hammourabi, roi de Babylone, Eshnouna est connue pour son code de lois antérieur au code d'Hammourabi.

L'EUPHRATE ET LE TIGRE
Ces deux fleuves forment au Proche-Orient la vallée des civilisations sumériennes, assyriennes et babyloniennes. Mésopotamie signifie d'ailleurs la "terre entre deux fleuves". L'Euphrate, dont le nom signifie "bon cours d'eau", trouve sa source en Turquie et se jette dans le golfe Persique. Le Tigre, ou "eau courante", naît en Turquie pour rejoindre l'Euphrate, dans un estuaire à l'entrée du golfe Persique.

GAÏA
Selon la mythologie grecque, Gaïa ou Gaea, représentant la Terre mère, engendre les dieux et les monstres. Elle s'unit à Ouranos et donne naissance aux Titans et aux Cyclopes. Gaïa est la grand-mère de Zeus.

GÉLASE Iᵉʳ
Quarante-neuvième pape, Gélase Iᵉʳ règne de 492 à 496. Originaire

de Kabylie, il contribuera à imposer le monophysisme, c'est-à-dire la nature exclusivement divine de Jésus, rejetant toute nature humaine du messie chrétien.

LA GENÈSE
Le terme "Genèse" est issu de la traduction grecque *génésis* qui signifie "origine". Le texte hébreu commence en effet par *Beréchit* qui signifie "Au commencement…". Le Livre de la Genèse est le récit biblique de la création du monde, de l'humanité puis d'Israël.

GILGAMESH
Selon les anciens textes sumériens, Gilgamesh aurait été, après le déluge en Mésopotamie, le roi de la cité d'Uruk. Gilgamesh a été immortalisé par le récit de son épopée dans laquelle le héros poursuit la quête de la plante d'immortalité.

HAMMOURABI
Roi de Babylone de - 1792 à environ - 1750, Hammourabi est connu aujourd'hui pour le code du même nom : une stèle en basalte de plus de 2,50 m de haut, gravée d'un ensemble de lois et visible au Louvre.

HANNIBAL
Son nom Hanni Baal signifie "protégé de Baal". Chef militaire de Carthage, Hannibal (- 274 / - 183) mènera une lutte incessante contre Rome, qui s'achèvera par son suicide et la destruction de Carthage.

HÉBREUX
Le peuple hébreu libéré par Moïse selon le récit biblique est parfois rapproché des Habirous, un ensemble de tribus nomades vivant en pays de Canaan, entre la Mésopotamie et l'Égypte.

HÉLIOPOLIS

"Cité du soleil", Héliopolis, édifiée
à partir du XVIIIᵉ siècle avant J.-C.,
était une capitale de la Basse-
Égypte, où était voué un culte
à Khépri, Rê, et Atom, divinités
du soleil levant, au zénith
et couchant.

HÉSIODE

Poète grec du VIIIᵉ siècle avant J.-C.,
Hésiode rédigea une véritable
généalogie des dieux qui influencera
profondément la mythologie de
la Grèce archaïque.

HOMO SAPIENS

L'*Homo sapiens* est une espèce
humaine originaire d'Afrique âgée
d'environ 200 000 ans ayant migré
vers l'Europe il y a 40 000 ans.

HORUS

Fils d'Isis et d'Osiris, Horus serait
né un 25 décembre. Dieu égyptien
de l'énergie solaire, personnifié par
un faucon, il représente la lumière
brillant sur le monde.

ISAAC

Fils d'"Abraham et de Sarah, Isaac
est le père de Jacob qui prendra
le nom d'Israël.

JÉRICHO

Les premières traces de vie
humaine à Jéricho datent
de près de 9 000 ans. Située
à une vingtaine de kilomètres de
Jérusalem, Jéricho est connue pour
l'épisode biblique de sa conquête
par les Hébreux menés par Josué
vers la Terre promise.

JÉRUSALEM

Le nom de Jérusalem est sans
doute issu de celui d'un dieu
cananéen, Salem. Ur Salem
signifierait alors "protégé
par Salem" d'où viendrait
le surnom de Jérusalem : "cité
de la paix". Le site de la future
capitale du roi David a été occupé
dès le XIXᵉ siècle avant J.-C.
Au Xᵉ siècle avant J.-C. le roi
Salomon y aurait édifié un temple
au roi biblique Yahvé et entreposé
la fameuse arche d'Alliance.
Unique capitale religieuse
du judaïsme, elle deviendra
sainte pour les chrétiens après
la crucifixion de Jésus-Christ.
Au VIIIᵉ siècle est édifiée sur
l'emplacement du temple
de Salomon la mosquée al-Aqsa
ou mosquée du Dôme.

JOSUÉ

Successeur de Moïse, son nom
hébreu *Yehochoua* se traduira par
"Josué" et par "Jésus" en grec puis
en latin, signifiant "Dieu sauve".
Josué sera donc le sauveur du
peuple hébreu en installant celui-ci
en Terre promise.

JOURDAIN

Ce fleuve cité cent cinquante fois
dans la Bible trouve sa source
au Liban et traverse le lac
de Tibériade avant de se jeter dans
la mer Morte.

LE LÉVITIQUE

Ce troisième livre de la Bible
rassemble les lois sacerdotales
du judaïsme naissant (sacrifices,
purification, sainteté) et prescrit
le cadre des relations humaines.

LE LIVRE DES MORTS

C'est Champollion qui donna
ce titre à un recueil égyptien
de paroles sacrées, d'incantations
et de prières destinées à faciliter
au défunt son voyage vers l'autre
monde.

MAMBRÉ
Ce lieu-dit désigne sans doute une chênaie près d'Hébron où Abraham aurait bâti un autel à Yahvé. Après avoir acquis cette terre, le patriarche y installera sa tombe où le rejoindront son fils Isaac et son petit-fils Jacob.

MANOU
Équivalent à un prophète pour certains, pour d'autres à un législateur, Manou est considéré dans la culture indienne comme un être saint. Son enseignement est rassemblé en dix-neuf livres, le *Mânava-dharma-çâstra*, ou "Lois de Manou". Il aurait été inspiré directement par Brahmâ. Les textes qui lui sont attribués dateraient du XIIIᵉ siècle environ avant notre ère.

MARDUK
Dieu protecteur de Babylone, Marduk est au sommet du panthéon mésopotamien à partir du XIIᵉ siècle. Sa fête sacrée était accomplie à l'occasion des rites de printemps.

MIGRÔN
Migrôn se trouvait sans doute à environ six kilomètres de Jérusalem sur la colline de Guibéa en territoire de la tribu de Benjamin.

MITHRA
Dieu du soleil et de la lumière, le culte de Mithra, d'origine indo-européenne, s'étend à travers l'Empire romain par le biais des légionnaires. Les bas-reliefs montrent le dieu Mithra, coiffé d'un bonnet phrygien, éclairant les mystères de l'immortalité en sacrifiant un taureau dont le sang jaillit sur des épis de blé. Ce culte de la renaissance solaire sera à Rome le premier concurrent du christianisme.

MOLOCH
Ce nom est la transcription grecque du nom *Molek*, déformation ironique en hébreu du mot *Melek* qui signifie "roi". L'hébreu confondait volontairement "roi" et "honte" en raison du culte sanglant de ce dieu cananéen qui exigeait des victimes sacrificielles humaines, et notamment des enfants qui étaient passés par le feu.

MORÉ
Le chêne Moré se trouvait près de la cité de Sichem. C'est à cet endroit qu'Abraham aurait établi son premier campement en entrant en pays de Canaan.

MUSULMAN
Un musulman est un fidèle de l'islam. Néanmoins, ce terme ne signifie pas "soumis à Dieu" mais plus probablement "en quête de paix".

NEANDERTAL
L'homme de Neandertal a vécu en Europe et au Proche-Orient durant près de 200 000 ans avant de disparaître mystérieusement il y a 30 000 ans. Il aurait été le premier à inhumer les défunts. Ce qui ne signifie pas qu'il pratiquait un culte des morts.

NÉOLITHIQUE
Âge de la pierre nouvelle ou encore de la pierre polie, l'ère du Néolithique commence au Proche-Orient il y a environ 10 à 12 000 ans. C'est le temps de la sédentarisation des hommes, de l'élevage et de l'agriculture.

NIPPUR
Située sur un ancien cours
de l'Euphrate, cette cité
de Mésopotamie du IIIe millénaire
rayonnait par son statut religieux
plus que par ses armées. Un culte
était consacré à Enlil, dieu du vent
et du printemps, donc
du renouvellement de la vie.

NOUM
Noum ou Noun est le nom donné
par la mythologie égyptienne
aux eaux primordiales, au chaos
originel d'où serait issue toute vie,
y compris les dieux.

ORTHODOXE (ÉGLISE)
Le christianisme est partagé
en trois tendances religieuses :
le catholicisme, le protestantisme
et l'Église orthodoxe, nommée
aussi Église orthodoxe d'Orient.
Comptant plus de deux cents
millions de fidèles à travers
le monde, la pensée orthodoxe
s'est construite sur les doctrines
des apôtres de Jésus-Christ.

OSIRIS
Assassiné par son frère Seth,
ressuscité grâce à son épouse Isis
et son fils né après sa mort Horus,
Osiris est le dieu égyptien de la
végétation, symbole de la vie
éternelle et de la renaissance.

OUGARIT
Cité située dans l'actuelle Syrie
du Nord, Ougarit aurait été détruite
vers - 1450 lors de l'invasion des
Peuples de la mer. Les tablettes
retrouvées sur son site permettent
d'y découvrir des récits qui ont
sans doute inspiré la rédaction
de certains textes bibliques.

OUR
Cité de Basse-Mésopotamie au sud-
est de Babylone, appelée aussi Our
des Chaldéens, Our aurait rayonné
sur la région vers le IIIe millénaire
et vouait un culte à Sin, dieu de
la lune. Selon les récits bibliques,
Abraham aurait été originaire d'Our.

PALÉOLITHIQUE
Âge de la pierre ancienne ou taillée,
le Paléolithique débute avec
l'apparition des ancêtres de
l'homme, il y a trois millions
d'années pour s'achever il y a
environ douze mille ans à la période
de la fonte des glaces, laissant
la place au Néolithique.

PAN
Divinité de la vie pastorale,
inventeur de la flûte de roseau,
Pan est le fils d'Hermès. Flanqué
de pieds et de cornes de bouc,
il reçoit son nom, "celui qui réjouit
le cœur de tous" de Dionysos dont
il deviendra le compagnon-écuyer.

PERSÉPHONE
Appelée aussi Proserpine ou Coré,
Perséphone est la fille de la déesse
agraire Déméter. Divinité lunaire,
elle règne sur le monde sans
lumière, le monde souterrain
où sont rassemblés les défunts.
Épouse six mois de l'année du dieu
des enfers, Hadès, Perséphone
retrouve la surface de la terre les six
mois de printemps et d'été.

PESSAH
Signifiant "passage", Pessah est le
nom hébreu de la Pâque. Pessah est
la célébration du commencement
de l'Exode des Hébreux d'Égypte.
La Pâque symbolisera la renaissance
d'un peuple et sa libération,
symbolique que l'on retrouvera
dans la Pâque chrétienne.

PONCE PILATE
Nommé par Tibère, procurateur
de la province de Judée entre 26
et 36, Ponce Pilate réprimera
violemment deux tentatives juives
de révolte. Selon les Évangiles,
il procédera à la crucifixion
de Jésus en 30.

SAINT JÉRÔME
Secrétaire du concile
de Constantinople, puis du pape
saint Damase, saint Jérôme,
originaire de Dalmatie (340-420),
traduira la Bible et commentera
les Évangiles.

SÂL
Cet arbre qui atteint une trentaine
de mètres de haut est répandu
en Asie du Sud, comme en Inde,
au Népal ou encore dans
l'Himalaya. L'encens tiré de sa
résine est utilisé lors de cérémonies
hindouistes et bouddhistes.

SETH
Frère d'Osiris et son assassin, Seth
est un dieu des ténèbres, du désert
et des pays inhospitaliers.
Surnommé "tueur de la lumière",
le dieu à tête de chacal symbolise
la mort alors qu'Osiris représente
la puissance vitale, mais tous deux
sont les visages d'une même nature
divine.

STYX
Selon la mythologie gréco-romaine,
le Styx, fleuve des serments
irrévocables, est l'un des cinq
fleuves qui séparent le monde
souterrain de la surface de la terre.

SUMER
La civilisation sumérienne
se développe au IVᵉ millénaire
en Basse-Mésopotamie, marquant
la fin de la période préhistorique.

Avec l'écriture, l'utilisation de la
brique, l'urbanisation, les premiers
temples et le premier récit
de la création du monde, Sumer
influencera le Proche-Orient
et la Mésopotamie pendant trois
millénaires.

TABOU
Le tabou fait partie d'un véritable
système sophistiqué d'interdits
censés rendre possibles la vie
et la survie du clan et de ses
membres. Les tabous ne sont
jamais justifiés ou discutables,
ni décidés par l'homme.
Leur transgression provoque
des catastrophes pour la société,
le bannissement du fautif
et sa condamnation à mort
par les puissances supérieures.

TALMUD
Le Talmud est l'étude
des commentaires, des discussions
et des enseignements des maîtres
de la pensée juive. C'est aussi un
enseignement issu d'une exégèse
des textes bibliques.

TAURUS
Les monts Taurus, situés
en Turquie, au sud de l'Anatolie,
culminent à 4 136 mètres.
L'Euphrate y prend sa source.

THÉOLOGIE (THÉOLOGIEN)
La théologie est l'étude de
la religion. Pour les chrétiens,
la théologie est l'étude portant
sur Dieu et les choses divines
à la lumière de la Révélation.
La théologie n'est pas l'étude
scientifique des religions et de leur
histoire, mais l'étude du religieux
dans le cadre d'une croyance.

THÉSÉE

Fils du roi d'Athènes, Égée, héros et roi mythique le plus important de la mythologie athénienne. Son caractère semi-divin est issu de Poséidon, divinité des océans, et d'Apollon, dieu de la lumière. Thésée est connu pour avoir tué le Minotaure de Crète, combattu les Centaures, les Amazones, et séjourné dans le monde souterrain.

THOR

Selon la mythologie nordique, Thor, fils d'Odin, est le dieu de la terre. Armé d'un marteau ou parfois d'une hache, Thor est aussi le dieu du tonnerre. De son nom est issu en anglais *Thursday*, ou jeudi, jour du tonnerre puisque c'est en français le jour de Jupiter.

THOT

Divinité égyptienne à tête d'ibis, seigneur du temps, protecteur de la magie, de l'écriture, de l'astronomie et de la médecine. Thot est le scribe divin, notant lors de la pesée des âmes le jugement des morts.

TITULUS

À l'origine, le *titulus* est un écriteau que portaient les légionnaires romains lors d'un défilé triomphal indiquant le nombre de prisonniers capturés durant la bataille, le montant du butin et le nom des villes conquises. Sur le *titulus* fixé sur la croix du supplice de Jésus, Ponce Pilate fit inscrire : "Jésus de Nazareth roi des Juifs".

TOTEM

Si le terme "totem" vient des Indiens d'Amérique du Nord, le concept de totem traverse les cultures. Les hommes regroupés en clans se rassemblaient sous la protection d'un totem dont ils espéraient bénéficier des qualités de fertilité, de régénérescence, de force… Le totem sera ensuite considéré comme un ancêtre commun au clan.

VÉDIQUE (RELIGION)

Le terme de religion védique désigne un ensemble de croyances et de rites décrits dans des textes sacrés rédigés en sanskrit autour de - 1800 / - 800. Ces textes dits "révélés" sont rassemblés sous le terme Véda ("savoir") ; autour d'eux s'est édifiée la doctrine brahmanique.

VIRGILE

Poète latin (- 70 / -19), Virgile est notamment l'auteur de *L'Enéide*, un récit installant Rome dans la continuité de l'*Iliade* et l'*Odyssée* d'Homère.

YAHVÉ

Cette appellation du Dieu biblique qui se révèle à Moïse à travers un buisson ardent est transcrite en hébreu par quatre consonnes, YHVH, ou tétragramme. La racine de Yahvé, *hayah*, fait référence au verbe "être". Dieu répondit en effet à Moïse qui lui demandait son nom : "Je suis celui qui est", ou sous la forme "il est celui qui est", *Yiheyeh*.

ZAGROS

Les monts Zagros forment une chaîne montagneuse d'environ 1 500 kilomètres qui sépare à l'est le plateau iranien de la région mésopotamienne à l'ouest.

ZARATHOUSTRA

Zarathoustra, ou Zoroastre, aurait inspiré le mazdéisme, une doctrine religieuse ayant pour divinité principale Ahura Mazdâ.
La tradition religieuse considère Zarathoustra comme l'auteur du texte sacré l'*Avesta*, rédigé sans doute aux environs de 1000 avant notre ère.

ZIGGOURATS

Ce terme désigne ces tours de trois à sept étages édifiées dès le IIe millénaire, dont les ruines ont été trouvées en Mésopotamie. La fameuse tour de Babel (à Babylone) était une ziggourat. Ce type d'architecture est également répandu en Amérique du Sud et au Mexique.

Index

Table

Reproduit et achevé d'imprimer en août 2008 par l'imprimerie Pollina à Luçon
pour le compte des éditions ACTES SUD, Le Méjan- Place Nina-Berberova, 13200 Arles
Dépôt légal 1ʳᵉ édition : septembre 2008 - N° impression : L47426 *(Imprimé en France)*